大展好書　好書大展

品嘗好書　冠群可期

大展好書　好書大展
品嘗好書　冠群可期

·校園系列·
9
超速讀
超記憶法
廖松濤編著
大展出版社有限公司

序言

從十七世紀起，德國和法國就開始研究速讀方法，但到今天為止仍沒有具體的定義，對於其方法和理論更沒有確立。但如果以一分鐘能閱讀兩千字為例，只要閱讀的速度能達到三～四倍的效率，應該就可以算是速讀了。

但是筆者在經過長時間的嘗試錯誤後，終於首次將速讀下了定義。也就是說如果以左腦的速讀速解方法，其速度只有普通閱讀速度的二～三倍，其效率是有限的，相反地，右腦的速讀，其速度和量則可以是無限的，所以在下此定義的同時，筆者將右腦的速度方法先確立起來，並且全部記錄在本書裡。

開發右腦是人類長久以來的一個課題，雖然只要透過眼睛就能吸收到很多的資訊，但如果能進一步地刺激右腦，使右腦得以開發，藉以提高腦力，卻是衆多人的夢想，所以有人提倡要開發α波，雖然當α波出現時，未必就能與記憶力連接在一起，但卻能夠促使腦細胞發達並活絡化，使右腦的腦力得以開發。像這種具體的實踐，乃是為了能夠更適應人類的社會生活。

生於這個時代的孩子們，為了要擠入所謂的明星學校，除了白天上學外，晚上還要到補習班補習，好不容易回到家了，仍須讀書讀到深夜，不像上一代的人在孩童時候，可以如同師長們經常教導的「讀書的時候讀書，遊戲的時候遊戲」。

而現在的兒童只知用功讀書，已經忘了怎麼去玩了。讓兒童在這種無法培育健全的人格和人性的情況下成長，實在是一件令人遺憾的事。

如果針對這一點，加以訓練右腦速讀的話，就可以適用於學習上，就不必再上補習班，而使學習的效果大增；同時，根據右腦速讀方式加以訓練。也能夠給孩子更多的休閒時間，並給予孩子恢復人類本性的教育。

目錄

第二章 對於大腦作用的解剖

第三章　為什麽右腦可以速讀呢？

第四章　超速讀的訓練方法

第五章　右腦速讀可以改變一個人

前言——以右腦速讀克服商業界的煩惱

首先要介紹一位因為使用右腦速讀，而在工作上締造佳績的女性事務員所具備的實力。那就是今年四十二歲在一家廣告公司任職的N女士，她原本就非常喜歡讀書，所以就對右腦速讀提出挑戰。

N女士開始學習速讀是在四十歲的時候，也許是年齡上的不利因素造成學習上的許多障礙，而且因為她是職業婦女，每天回到家後幾乎沒有空閒的時間訓練，只能每週到補習班去學習一次，所以根本不可能有顯著的功效，和其他年輕人比起來，她的訓練成績可以說是非常地差，但儘管如此，她經過右腦速讀訓練的功效仍顯現出來了，這實在是金錢所買不到的。

她在公司所負責的工作是看車站的平面圖，也就是決定什麽公司的招牌應該放在什麽位置上，所以她必須磨練自己有很好的眼力，才能選得正確不出差錯。

以前她說把看那一大張寫得密密麻麻的平面圖，視為一件很痛苦的工作，但是自從學習右腦速讀後，在瞬間裡，她就能找出最醒目的招牌位置，除此之外，她還可以坐在急駛的車子上，看著窗外那些不斷流逝而過的招牌上的電話號碼，並且默記下來。

更令人驚訝的是，N女士除了能將報紙的每一行文字仔細看清楚外，對於所有的內容也都能瞭如指掌，甚至連電話號碼都能過目而不忘。

同時對人的觀察更加敏銳，以前與陌生人第一次見面時，一定要仔細地盯著人看，但現在只看一眼，就能深深地記住那人的特徵了，這主要也是因為透過了右腦訓練後，對自己的感性有了更深入的磨練，使得頭腦更為清晰，對眼前所顯現出來的現象，也能即時地掌握。

以上是根據N女士所提供的資料加以敍述。

筆者速讀的訓練方法這一個課程分為四十次（一次八十分鐘），只要四十次，課程即可全部結束，而具有初級的程度。當然，最好每天能上兩次課，回家後也能夠做自我的訓練，就如同「打鐵要趁熱」的道理是一樣的，必須做密集訓練，才會有顯著的功效，因此，一些對於速讀法有興趣的年輕人，只要一開始接受訓練，往往在不到一個月的時間，就能完成初級的課程。

速讀訓練進展得並不快的N女士，能在實際的工作上發揮速讀的功效，最主要就是她有一份必須經常鍛鍊右腦的職業，例如，她必須在極短的時間內，看出如車站平面圖般的圖面，而這些作業必須完全仰賴右腦的作用，而且為了要靈活地運用右腦，首先必須訓練擴大視野，使能在一瞬間將對象與物體的重點看出來。

所以N女士雖然聽課的次數不多，但在工作中，不知不覺地也在做著日常性速讀的基礎訓練。

有一個和N女士非常類似的例子，就是在大阪一個班級聽講的高中生K同學，K同學可以說是學習速讀後效果最顯著的，詳細問他之後才知道從初中開始學射箭，如衆所皆知的，射箭必須瞄準目標之後才能將箭射出，這種凝視目標的動作就是一種右腦速讀的基礎訓練，嚴格說起來，和一點凝視的方法是相同的，K同學在累積了這種訓練的經驗之後，看了印刷的鉛字，就會感覺比實際的物體還要大，換句話說，這和右腦速讀法必須做擴大視野的基本訓練是相通的。

因為這個緣故，所以K同學在聽課三次後就能寫出一百一十個單字，聽了十八次課程就能記下一千一百四十三個單字，在第四十堂課結束，也就是初級畢業後，大約默記了四千個以上的單字。而一般人在初級畢業時，能寫出六百個單字就算及格了。所以K同學的成績著實是很突出。

讀者看了以上的說明，或許還不能了解K同學的特殊之處，所以現在要將速讀的訓練方法，做一個簡單的說明（詳細的訓練方法則留待第四章再談）。

速讀訓練首先必須記住記號，先準備一本全是記號的專門教科書，在這本教科書裡就有許許多多的基本訓練方法。

等記號全部記熟了之後，才能開始訓練速讀課文，當然，在剛開始時要從閱讀像畫册般的簡單書籍訓練起，以後再逐步進入到鉛字比較密集的課文。而且閱讀的訓練並不僅是讀而已，還要學會能夠「看」，在翻開每一頁的瞬間，就必須把字看清楚。

也就是說在一分鐘內看清楚，然後再寫出留在記憶中的單字，這就是所記下來的單字數目，寫出的字數愈多，就表示成效愈顯著，因為記下單字的多寡，就表示對速讀教科書內容理解程度的指標。

N女士和K同學的例子，都是以在補習班的訓練課程為基礎，然後再運用到日常生活與工作中而加以訓練，這才是促使速讀進步熟練的主要原因。

總而言之，只要肯下功夫，即使是在邁入中年之後，再來做速讀的訓練，也一定能得到實際的功效。所以說這是不管任何年齡都可以做的速讀訓練，但如果能愈早訓練，當然就愈能發揮右腦的速讀功能。這種速讀功能，除了運用在日常生活中以外，也能活用於商業界，為了能戰勝這個資訊化的社會，年輕的生意人，更必須練習速讀。

目前正在接受速讀訓練的學生，以中小學和高中生所佔的比例最高，他們接受了速讀訓練後，能提高多少成績呢？這些在筆者的訓練中心裡都有詳細的資料。右腦速讀除了提高學業的成績外，還有另一個最大的目的，就是可以開發人性的成長，以及商業的能力。希望各位讀書能將下面各章詳細地閱讀。

第一章

超速讀就像萬能的選手一樣

☆寫了五小時的書只要十秒鐘就可看完

任何人都具有的睡眠能力

速讀在今天終於獲得了社會上的肯定。

如果說在學習速讀術以前，必須花費四～五小時才能看完的一本書，在反覆不斷地做速讀訓練後，不到十秒鐘的時間就可以把書看完了，各位相信嗎？而這絕不是誇大其詞。筆者在東京所主持的山下式速讀研究所裡面，就有很多學生已經具有這種速讀的能力，這實在是非常奇妙和不可思議的，或許也有人會認為這只是一種例外的情形。但事實上，它不但只是開發了每一個人的潛在能力而已。而且每個人的能力還有無限的可能呢！

一般人想要學習知識並加以理解，需要花費相當的時間去培養集中力。而現在所訓練的速讀方法，就是為了使一般人從來不曾派上用場的右腦功能復甦，並且加以活用，使困難的學習方式變得更為容易罷了。

提高學習所有事物的能力

速讀的目的除了提高閱讀的速度外，同時還要讓學生們能夠提高在校的學習能力，然後逐漸地能具有像生意人處理資訊般的能力，也就是說對於所有事物的學習能力能夠更為提高。

雖然所有的學習，都必須靠智能和努力才能有成果，但也並不是如此單純，最重要的還是在於如何有效地發揮自己的頭腦，而且不管頭腦如何的清晰，花費多少時間去努力，只要頭腦的使用方法不當，就無法提高學習的功效。同樣的，在商業界方面也有如此的困擾。

右腦速讀到目前為止，已經給商業界帶來相當大的功效，為了讓讀者了解實際的原因，筆者希望讀者能先了解，為什麼右腦的速讀方式能讓在校的學生提高學習能力。事實上，不管是商業界所做的資訊處理，或在學校的學習，完全是在發揮人類的大腦功能，因此，下面將針對什麼情形之下，右腦的速讀會有助於學業的成績，做一個簡易的說明。

☆可以加強數學方面的能力

算術和數學只要加以默記就可以了

首先從算術和數字方面加以探討。一般人說數學成績好的孩子，通常頭腦比較聰明，但事實上這只是一種單純的迷信罷了，因為學校所教的算術和數學，基本上，也是屬於默記的科目。

就如對於猴子的研究十分著名的今西錦司博士，現在是京都大學的榮譽教授，他在中學時對於數學的讀書方式，也完全是靠背定律和公式而已。

數學的定律和公式是由幾個階段所構成的，將這些定律和公式以階梯式的順序加以記憶後，就可以根據每一個階段的定律或公式來解答問題，因此，即使深悟較高階段的定律或公式，但忘了初期階段的定律和公式，對於問題還是無法解答的，因此，算術或數學差的人，最主要還是因為忘了初期階段的公式，絕對不是因頭腦不好所致。

為了加強算術或數學的能力，必須由下往上，以階梯的方式，將過去所學的定律或公式排列下來，再將之默記即可，只要不是一個數學專家，就應將數學當作默記科目，而且如想完全背下來，也只有速讀方式才能幫你這個大忙，可是關於那些定律和公式，則一定要仰賴自己去整理，雖然教科書裡也有，但由自己去加以整理、體認，印象才會深刻。

如果能真正地將定律和公式牢牢記住，或不被一些考試上的陷阱所迷惑，那麽，你的算術或數學就有得滿分的可能了。

除了算術和數學之外，其他如國語、歷史、地理、公民、社會等等學科，只要能學會速讀術，必能得到更好的成績。

公民、社會等學科，可以使用方塊的方式來默記

在中學上公民或社會課時，都是有關於「憲法和基本人權」「政治或國民生活

」「國際聯盟或世界局勢」等內容，像這些課程，只要能確實地讀教科書，分數絕不會太差的，但有些人往往疏忽了這些，使得看這些書的時間相對地減少，同時補習班裡對於這些科目所分配的時間也比較少，因此，一般說來，這些分數常常比較低，雖然高中的入學考試，對於這些分數的分配比例並不太多，但如因這些科目而拉下分數，就實在太可惜了。

對於教科書的速讀，只要將政治、經濟、社會的結構，以及任期、時間和年代的一些數字，還有機構、聯合組織的名稱、簡稱，參加國的國名等等，確實記住就可以了。

至於憲法和世界動態等等需要理解的項目，分別以紅筆劃下來，以方塊的方式來速讀默記，就一定可以確實地記在腦海裡，當然，歷史和地理方面也應該採用這種方式。

☆國語和理科方面，是運用右腦速讀最有效的科目

國語的國字是一種印象

對於中小學生來說，學習國語最辛苦的莫過於生字的默寫了，根據學習指導的要領指出，小學一年級時能記住七十六個字，二年級記住一百四十五個字，三、四、五年級則各為一百九十五個字，六年級時可記住一百九十個字，合計起來在小學之間就必須記住將近一千個字，為了要記住這些生字，每天要重複不斷地寫，但是這種學習方式，把一整天的休息時間佔得滿滿的，根本沒有看其他教科書的時間，而且寫國語生字是一種非常吃力的機械性作業，枯燥乏味，孩子們往往會覺得厭煩，使得有些孩子會逐漸地討厭寫生字練習。

中文的國字與外國語言的字母是完全不同的，它是由象形文字結構而成，因此，如果以象形為印象再加以記憶就比較容易了。速讀術就是把文字的字形完全印在腦海裡的記憶方法，先根據字的字形加以記憶，再透過手上的書寫動作，記入腦海裡，因為藉著書寫的筆劃，在腦海裡加深印象，就是對於文字的記憶方式。

就如前面所敍述過的，速讀的基本訓練只要經常地閱讀練習就可以學會，所以雖然國字的記憶、書寫和筆劃，在學習上比較困難，但只要能配合速讀的方式，加以不斷地練習，還是可以得到相當大的成效。

國字的記憶方法

利用速讀術來記國字的方法，就是利用眼睛來提高閱讀的能力，也就是在一瞬間將文字群透過印象全部地掌握住，然後再將這些印象傳送到右腦。現在就將國字的記憶方法敍述如下：

①首先照著書寫的筆劃，將國字的形象印入眼裡。

②將國字的字形變成一種印象浮現在眼睛裡，嘗試著不要看著書來書寫，並且多寫幾遍。

③等熟悉之後，再以一定的速度來書寫。

④基本上，記住字的「偏旁」或構造後，其他的國字則只要用看的，就可以記住大部份了。

以這種方式來記住字的「偏旁」和構造，多半在小學低年級時就已教過，因此到了高年級時，有一些國字只要用眼睛去看就可瞭解了。

理科也以記憶它的形狀為主

化學、生物、物理等理科，其內容通常會出現許許多多的法則、記號和構造圖等等，對於這些教科書，如果利用速讀術，則可發揮更大的功效。因為理科系列的各種基本知識其實就是百科字典，如果能將各項目一一記住的話，就是一個博學多聞的人了，因此，也可以善加利用速讀術來發揮閱讀的功效，當然，其學習的要領也和數學一樣，要以默記為主。

透過對於數學的訓練，人類右腦認識形態的功能就已得到了啟發，所以即使像化學方程式那麼複雜的構造，在一瞬間也能印入腦中。

例如，化學方程式中，如果用有幾個C、幾個H，要如何的構造等方式逐一地加以記憶，其成效不會太高，但如果將整個化學程式做一個整理，再將整個的印象加以記憶，就簡單容易多了。

☆在考試前十分鐘決定勝負

速讀解決了燃眉之急

不僅是小學、國中、高中的教科書可以利用速讀術來做為學習的要領，速讀術還適用於各方面的學習。

下面是目前在筆者的速讀研究補習班上課的某位大學生的故事。據他自己指出，在一次考試的前一天，他發現了他的文學教科書借給了朋友，於是就馬上和那位朋友聯絡，要朋友把書還給他，但他的朋友卻不在家，在沒辦法的情況之下，只好暫且放寬心胸，早早地上床睡覺，一切等明天早上再說了。

在考試當天的一大早，他特別比平常早到學校，然後向第一位進入教室的熟悉朋友借來教科書，開始展開速讀，大約十分鐘的時間，他已反反覆覆地翻過幾次書了，他把幾個重點不斷地加以熟記後就上了考場，結果也考及格了。

速讀的威力可以說是無與倫比的，只花十分鐘的時間速讀就可以使考試及格的例子，絕不是一個特殊的例子。這位大學生經過幾次閱讀教科書，並將重點劃出來，然後將重點部份閱讀幾次，因為他正確地應用了速讀術，所以他能得了及格的分數，而一般學生，要得到及格的成績，花費數小時甚至數天的時間是一點都不足為奇的。

一般學習理論化或體系化的知識時，都是用左腦一邊加以理解，一邊加以記憶，使用這種方法速度很慢，效果當然也不佳。

速讀就像照相機一樣，將書上所寫的文章、圖表、數字等，在一瞬間照射下來，並印入腦海中再予以記憶和理解，這種從眼睛去看到理解的過程，省略了思考、語言和理論的階段，因為並不只是看而已，而是「視」，也就是擴大讀書視野的視，更是專心一致的視，這就是超速讀的主要秘訣。

☆花了四天就輕易考取國家執照

使用速讀，一切的考試都能順利通過

目前在筆者的速讀研究補習班擔任老師的台夕起子女士，在一九八五年夏天，只花了四天的時間，就去參加調理師檢驗的考試，結果居然被她取得了執照。過去，筆者都只是介紹學校的學習教育，事實上，速讀對於應用在商業界的學習也非常有效，下面將要來介紹台女士的例子。

台女士生於一九五一年，大學畢業後放棄了爵士演奏團的專業演奏職位，專心一致地經營餐館和補習班，從一九八四年五月，她開始到速讀補習班研究速讀，現在一分鐘已達到了七十萬個字的速度，她是在一九八五年一月獲得了講師的執照，目前是筆者速讀研究補習班的一流教師。

後來她想去考調理師的執照，由於她的工作非常忙碌，根本沒有看書的時間，於是台女士就從七月十九日至二十二日之間的四天裡，每天大約花三個小時來準備考試的科目，計有衛生規則、公衆衛生學、營養學、食品學、食品衛生學、調理理論等六個科目。

第一天先看教科書，進行『調理讀本』的速讀，她努力地去掌握內容的大意，然後再將每一科過去的考古題加以歸納，每天只熟練地速讀兩科，對於曾經出過好幾次題的地方，特別地加以注意，也以速讀的方式將重要的部位劃起來，將題庫整理出來；調理師的考試內容裡有很多是關於瓦斯熱效率的數字問題，對於數字的默記，速讀也發揮了很大的功效；她並將『調理讀本』裡自己認為重要的部份圈起來，記在備忘簿裡，然後以默寫的方式來記憶答案。

她以這種方式，在三日之內，將全部的精力均等地用在六個科目上，第四天再做總複習，終於如願地通過考試，取得調理師的執照。

也許有人會問，所謂的速讀，完全是由一張白紙的狀態開始，台女士每天只花了三小時，四天的時間就通過了考試，這真的可能嗎？但對於已取得「速讀執照」的台女士來說，這可真是一個愉快的經驗，筆者認為在她這一生中她將會津津樂道這件事。

速讀和電腦可以做為資訊情報的處理系統

目前在速讀研究補習班裡面的學生中，不僅有人通過調理師的執照考試，也有人通過司法官的考試，更有運用速讀方式處理資訊情報的商業界人士。來接受訓練的人除了有小學、中學、大學生之外，還有各行各業的社會人士，這些人對於速讀術的熱誠和意願，實在是令人佩服。

但是一些已超過三十歲的社會人士，在速讀訓練時所承受的壓力往往比年輕人還大，尤其是在開始閱讀書本時，兒童和社會人士的速度就有顯著的差異，例如，當大人還唸不到十頁時，小孩已舉手說看完了，不過大人的這種情形只要經過基礎訓練的階段後，就又另當別論了。

社會人士與年輕人、小孩子並席而聽課的勇氣，實在是很值得讚揚的，但為什麼他們剛開始學習的速度比小孩差呢？那是因為剛開始時缺乏耐性所致，唯有堅強的毅力才能向速讀挑戰的。

現在的商業界要聘用的人才，都必須具備有處理資訊的能力，當然對於比較龐大而複雜的企業戰略資訊，就得利用電腦來處理，但有些資訊往往利用電腦處理，還是不如個人迅速處理並判斷其資料是否有必要來得精確些。例如，選擇書籍之類的作業是電腦無法做到的。這時如果運用速讀，即使堆積如山的書籍，在瞬間就能處理完畢了。

除此之外，對於客戶的備忘錄和資料也能在瞬間記憶，還有庫存表格、交貨日期、銷售方面的傳票等等，也能一眼就判斷出來，尤其是對於一些特定的計畫和龐大的資料，都可以一一地加以檢討，可見速讀除了範圍廣之外，威力也是很大的。

根據速讀，可以將一些零碎的資料透過眼睛，把各種資料內容掌握住，再加以分類，如此就可逐漸地顯示出各種資料的重要性，當然，在此並沒有否定電腦也可將精密度較高的資訊做相當快速的分析。

還有更多的商業人才希望學會速讀，再利用速讀來處理資訊，當然這也是筆者開發速讀的原始願望。而且開發速讀還可發揮人類的各種潛能，如果再配合電腦的運用，則一定可創造出革命性的資訊處理系統。

☆速讀有許多誇大不實的廣告詞

在速讀熱潮中分辨廣告詞的真偽

從七、八年前就已掀起了速讀的熱潮，有很多人知道「速讀」這個名詞，但真正的速讀是什麼？相信有很多人無法了解，大部份的人都只是聽了與速讀有關的知識而已，筆者相信甚至有關於速讀的知識，多數人也都是抱著錯誤的見解。

當速讀術引進國內而掀起熱潮後，就有一些人想將其商業化，希望能藉此賺取更多的利益，但卻以錯誤的方式教人速讀。更令人遺憾的是，有更多的人因此而對速讀產生了極大的誤解。

最近報紙上經常刊有速讀的廣告，相信大家都注意到了，這些廣告實在是很誇張，有的廣告說可以在二十分鐘之內閱讀完一本小說；甚至也有的宣傳說閱讀的速度可以比其他的人快十至十五倍，對於這些宣傳的語句，人們多半抱著懷疑的態度，但還是有不少的人因不實的廣告詞而上當。

筆者認為這完全是商人以營利為目的所標榜的假速讀術，因為閱讀一本小說，並不是以快速的眼光去瀏覽一次就可以了，還必須了解小說中的人物和其趣味性，所以說真正的速讀，絕對不可能像廣告詞中所說的可快上十五倍，甚至二十倍。這個理由就像日本醫學院品川嘉也教授所著的『右腦型人類和左腦型人類』一書中，所說的理由是一樣的。

左腦以一分鐘記住兩千個字為上限

大腦分為左右兩半球，左腦著重於理論性的，右腦則具有感覺性的功能，關於左右腦的功能留待以後再詳述，但人類的大腦在單位時間內，所能記住的一些可以理解性的文字數是有一定限度的，一秒鐘大約三十個字，這主要是由左腦來閱讀，再加以理解。據說人類仰賴左腦閱讀，並加以理解的文字數的上限，一分鐘之內約從一千八百個字至二千個字，韓國最先開發速讀術的金湧真先生，針對韓國大學的學生做調查的結果，顯示出其上限是一分鐘兩千個字。

總而言之，普通大人讀書的速度，一分鐘是四百個字至八百個字；非常快速的人則由一千八百字至二千個字，而且在這個範圍內的速度，不論閱讀任何書籍都能充分地理解，這理解當然涵蓋著學校的教科書，以及一般中小企業所使用的各種資料。一般來說，一秒鐘如果可以閱讀三十個字，那麼一分鐘就可以閱讀一千八百個字，但是閱讀小說就無法如此了，因為小說總會摻雜了人類的喜、怒、哀、樂等情緒，一定要等一種情緒平復後才能繼續地閱讀下去，即使是使用左腦來閱讀，要達到一分鐘一千兩百個字的速度也是非常勉強的。

而且筆者認為如果以一分鐘一千兩百個字的速度來閱讀小說，那看這本小說的樂趣也就蕩然無存了。

就如前面所說的，每一個人的閱讀速度不同，一般而言，速度比較慢的人，一分鐘頂多四百個字，而快的最多也只有八百個字，那麼一千兩百個字是慢速度人的三倍，一千八百個字則為快速度人的二倍多，所以筆者認為這並不是閱讀小說速度的上限，如果以左腦來速讀，而能比普通人快十五倍或二十倍，那就完全看不出這本小說的趣味性了。因為這時在頭腦中根本就無法了解小說的主題，但是目前居然有些業者做如此的宣傳，所以筆者認為這是以營利為主，以全然不可能的事情，做為不實的宣傳，致使大多數人對速讀術產生了誤解。

筆者在這裡要強調的是山下式速讀的目的，並不在於讓讀者的速讀速度提高二十倍，而是讓讀者在速讀後對書的內容能全盤地理解，至少讓讀者在使用左腦速讀時也能比別人快兩倍或四倍，而且能獲得理解。

雖然如此，還是能以比別人快兩倍或三倍的速度來閱讀小說，以前在同樣的時間裡只能閱讀一本書，現在能閱讀兩本或三本。筆者希望即使只是用左腦來閱讀，也能讓讀者了解到書中的趣味性。

如果為了提高速度，而以五倍或六倍的速度閱讀，那麼一天就可以閱讀好幾本書；或者在下班後帶回家一大疊的資料，也可以在夜裡以左腦速讀的方式處理，如此不僅可以促進左腦的活用，還可以避免一些不必要的討論，因為不管頭腦再怎樣清晰或有能力的人，也一定要先理解了資料後才能討論。這種工作由普通人來做可能需要花三倍的時間，但如透過左腦速讀速解的話，其上限則為一千八百個字。

目前日本所風行、比較合理的速讀，其速度大多為比一般人快兩倍至三倍，如果廣告上的宣傳詞是比平常快十倍至二十倍，那就值得懷疑了。筆者相信人類使用左腦閱讀，是無法有那麼快的速度的，因此讀者如果看到招牌上寫著「以左腦速讀能達到十倍至二十倍的速度」，那一定是誇大不實的廣告。

☆超速讀只有右腦才能做到

人類能力的極限

即使是一個很有能力的人，如果想要一邊閱讀，一邊充分地理解書籍的內容或資料，也只能比一般人快二倍至三倍的速度而已，但這並不意味著人類的能力只限於此，這種說法乍看之下顯然是前後矛盾，但這也就是左腦速讀和右腦速讀的差異。就如前面所說的，要左腦速讀比平常快十倍甚至二十倍，那是不可能的，但對於這種令人不敢相信的快速度，事實上仍然有其掌握的方法，也就是利用右腦速讀。

人類的大腦正中央地方有一個腦樑，將大腦分為左腦和右腦，如果為了加強記憶，就必須善加利用右腦。

在筆者的速讀補習班上課的，以在學校上課和補習班的學生為多，他們都希望自己閱讀教科書的速度能比別人快兩倍至三倍，但是山下速讀術所產生的成效，則不僅僅兩、三倍而已，目前已有學生一分鐘可達一百萬字的速度，當然這也唯有仰賴右腦速讀才可以做到。

從前經常有人提到右腦速讀，但是到目前為止，真正教導右腦速讀的速讀補習班還沒有。筆者的速讀研究補習班以韓國的金湧真速讀法為基本，開始開發右腦速讀，成為世界首創的右腦速讀法，所以，也唯有日本東京速讀研究補習班才是右腦速讀的本家，這也是我們最值得驕傲的地方了。

☆投入愈多心力的人，愈快獲得成效

一分四十四秒鐘，就可看完「戰爭與和平」

在速讀中的學生

「日本速讀東京研究補習班」創設於東京八王子這個地方，從一九八三年創辦至今，該補習班的講師以台夕起子女士最為活躍，另一位講師川口奈奈也教導出許多成績優秀的學生。但是因為八王子位於東京的西端，學生來來往往不太方便，所以在考慮到地利的條件之下，也為了擴大山下速讀的廣泛據點，在一九八四年的九月將教室遷移到現在的新宿區高田馬場。

山口先生從一九八四年三月十四日開始學習速讀，不到五個月的時間，就以一分四十四秒鐘的時間將「戰爭與和平」一口氣視完（右腦速讀不稱為「閱讀」，而稱之為「看」，而「看」是無法速讀的，所以要以「視」來表示），「戰爭與和平」共有四本書，文字數字合計約一百四十八萬零一百零四個字，也就是說在一分鐘之內，就可達到七十萬多字的驚人速度。而且這種速度不但是一邊視，另一邊還將自己的感情，與書中主角的喜、怒、哀、樂融合在一起，所以自己的感情也達到了「視」的效果，而且對於書中的感情與內容都能詳細地記住。

前面曾經說過，如果以這種超速度閱讀小說就會覺得索然無味，那麼這裡又如何解釋呢？在這裡筆者要說明的是，前面所指的是針對普通人以左腦閱讀的情形而言，而像山口先生那樣累積右腦速讀訓練的人，以超速度來視，卻也能充分地享受到小說的趣味，這一點正是筆者所要強調的左腦速讀與右腦速讀的差異之處。

過去我們都疏忽了眼睛和右腦的相互活用，但只要注意地去做有組織的訓練，就會使其更為活絡化，由此也可以使眼睛和腦煥然一新，使超速讀在一分鐘之間可達到七十萬字或一百萬字的境界。

與成績的好壞全然無關

一般人說認為右腦速讀，一定要在校成績好的優秀學生才能做得到，事實上，右腦速讀與在校成績的優劣全然無關，與頭腦的好壞更沒有關係。右腦速讀的訓練只是使在未開始訓練前，從未加以活用，仍呈沈睡狀態的大腦清醒而已，所以不能以學校的成績做為標準，頂多只能說孩子愈專心，其速讀的學習效果也愈大。

目前在筆者的速讀研究補習班裡，有許多不同年齡、不同職業的學生，其中有一些正準備要考司法官，或將來要當商人的大學生。雖然速讀術是任何人都可學會的，但真正能達到速讀效果的，還是以三十歲以前的人最多，因為愈是年輕的人，記憶力愈好，其速讀的效果也就愈顯著，所以在筆者的速讀研究補習班裡還是以小學、初中、高中的學生為主。

有許多在校的學生一開始學習速讀，學校的成績也因而大大地提高，主要是因為他們閱讀的速度比別人快，而且集中力和記憶力也跟著提高，如此一來學業成績會進步也是理所當然的。

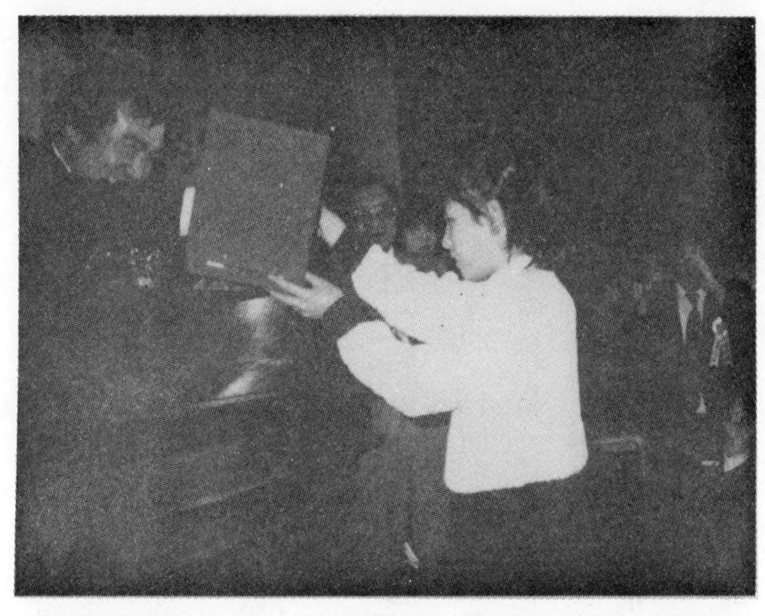

筆者的速讀研究補習班學生，在韓國所舉行的『世界速讀大會』中得到優異的成績

目前小學低年級的學生，進補習班補習的風潮依然很盛，筆者認為與其讓小學生去上補習班，不如讓他們到筆者這裡學習速讀，更能提高他們的在校成績，因為透過速讀的訓練，學業成績也跟著精進的人數相當多。根據筆者的補習班的資料顯示，一九八七年在筆者的速讀研究補習班研究速讀，而提高了在校成績的，就有一千四百名之多。

附帶要說明的是，一九八七年十一月二十一、二兩天，在漢城所舉行的速讀比賽大會中，筆者的速讀研究補習班裡有六名參加，結果獲得最優秀獎的就是筆者補習班的學生，其他五人也分別得了優秀獎。

但是速讀的發祥地是在韓國，由此就可顯示出，山下式速讀術和金湧真式的速讀術比起來，已經是「青出於藍，更勝於藍」了。

☆成績的好壞由大腦的運用方法做決定

在進入補習班之前先學習速讀術

就如前面所說過的，目前從小學低年級就開始上補習班的潮流，有愈演愈盛的現象，到了高年級時幾乎每一個人都上過補習班了。有很多小孩是因為別的同學都上補習班，所以也吵著要上補習班，但筆者相信有些小孩是因為在校成績太差了，父母希望他們上補習班以提高在校的成績。

開發山下式速讀術有了顯著的成果，是筆者最感到驕傲的。筆者基本上並不贊同學生上補習班，但如果非上補習班不可，那麼筆者希望「要上補習班之前，最好能先學會速讀術」，這樣將會使成績好上加好。因為上了補習班未必能提高學業成績，這完全在於頭腦的運用方法而已，對於一般的理解如果反應太慢，而且欠缺集中力，即使到補習班去也未必會有效果。

所以學生上補習班，如只是為了提高在校的成績，或只是因為朋友都上補習班，自己也不能不上補習班等單純的想法，那麼筆者要奉勸這些人，還是儘快地拋棄這個念頭，因為那只有浪費時間和金錢而已。

簡單說起來，學校成績差的孩子，通常其理解力都較差；反之成績好的孩子，其理解力則較強，但是不管其理解力如何，與頭腦的好壞是完全無關的。

所謂的理解力差，並不在於頭腦差，而是在於造成理解力差的大腦的運用方法而已，如果能改變大腦的運用方法，則對於理解力的提高就能達到驚人的功效。

以我們的眼光來看，那些被稱為天才的學生，他們對於頭腦的運用方法，有時也可說是非常地浪費；而那些不是天才且成績較差的學生，更是浪費了其頭腦的運用。然而這兩者的成績之差，完全在於理解力的快慢而已，也就是說天才和平庸，其內在是完全一樣的。

速讀術的最大特徵就是能夠快速地增加知識的吸收速度和所吸收的量，而且即使是非常複雜，形成層層相疊的結構知識，也能很順利地進入大腦中。除了生字的默寫、讀法、文法、數學公式，以及其他的基本知識外，各種應用的方程式，也能立刻地進入大腦中並加以吸收。

任何人在短期間內都有可能學會速讀術，因此那些要上補習班的人，如果能在學會速讀術後再去上補習班，那他的學習效果將是指日可待的，比起其他同年級的學業成績一定會高出好多。

另外，如果累積了這種速讀術的訓練，也能提高集中力和理解力，即使不上補習班，只要在家裡溫習功課，其成績就會大為提高了，這也就是筆者一再強調只要學習速讀，不需要上補習班的主要原因。

第二章　對於大腦作用的解剖

☆左腦和右腦之間的差異

右腦和左腦功能的差異

有很多人經過了右腦速讀的訓練後，才發現超速讀是有可能的。從前就有很多人談論右腦速讀，但卻沒有人真正地去做過，筆者所開辦的「日本速讀東京研究補習班」，可說是第一次開發右腦速讀，實施右腦速讀的訓練課程。

那麼根據右腦速讀的解說，超速讀在將來是否有可能做得到？

人類的大腦是一個重要的器官，隱藏著無數的謎，至今還有很多沒有被人發現，所以一些研究大腦生理學的研究家，已經對大腦的功能展開探討，而且已經有的功能也逐漸趨向明朗化。

人類的大腦分為左右腦，是每一個人都知道的。但是如果再進一步地問道：「左右腦分別扮演什麼樣的角色？」「各擔負什麼樣的功能？」卻很少人能明確地予以答覆。

在我們的內臟器官中，肺、腎臟、睪丸等等，都在左右各有一個完全相同的器官，也就是成為一對的內臟器官，左右都有同樣的功能，其間的機能也沒有太大的差異，但大腦的情形卻有所不同。大腦是根據左半球和右半球的稱呼來作為區分的，分別擔任各種不同的功能，所以它們的功能是有差別的。

事實上，在一百年前，就已經有人對於左腦和右腦的功能加以探討，他們研究的方式是以在戰場上受傷的士兵為對象。當他們的頭腦左側受傷時，往往會罹患了失語症！但右腦受傷的士兵卻不會引起失語症，由此可知語言中樞是在左腦，而不在於右腦。

另外罹患腦中風的人，如果是右半身痲痺，則往往會留下語言障礙的後遺症，因為語言中樞是在左腦。而且值得一提的是，腦中風的人如果是右腦受到損傷，就會是左半身痲痺，如果是左腦受傷，則是右半身痲痺。

由此可見，左腦有語言中樞是在一百年前就已知道了，但其他有關於腦的功能，卻是在最近才逐漸地發現的。

腦樑是左右腦的橋樑

腦樑是在左腦和右腦之間的一個非常發達的組織，該處約有兩億根的神經纖維，是用來聯絡左右腦的。而將左右腦的關係變為更具體化的，是一九八一年度獲得諾貝爾生理醫學獎的，美國加州工科大學R・W・史倍力教授。

史倍力博士的發現，完全是因為他在詳細檢查一位接受腦樑切斷手術的癲癇患者而得到的啟示。一九四〇年代的美國，對癲癇患者施以藥物療法，完全沒有功效，所以只好做切斷聯絡左腦和右腦的腦樑手術，因為將腦樑切斷後，即使癲癇症發作時，也只是在大腦的半側而已，絕不會影響到大腦的另外一側，這種手術的治療功效在當時曾經獲得認可，而且根據指出，即使切斷了腦樑，患者的精神和神經作用，也不會有太大的影響。

進行這項手術的時期，至今約有二十多年了，史倍力博士在檢查切斷腦樑的患者時，發現癲癇患者的大腦半球之間，無法互相交換資訊，致使他發現了人體左右腦的動功能是不同的。

腦樑就像連接大腦左右兩半球的吊橋一樣，一旦將吊橋切掉了，那麼聯繫大腦左右半球的功能也會喪失，因此以切掉腦樑的患者來做實驗，結果發現左腦和右腦的功能是有差別的。

☆右腦著重感覺左腦擔任理論性功能

右腦傳出行動指令，但往往會使人想不出做了什麽事情

以下即是對腦樑所做的實驗。

讓切斷腦樑的患者坐在桌子前面，並在桌上放了一塊能顯出文字的銀幕做為屏風，在屏風的內側桌面上併排著小刀子、杯子、螺絲等等的小道具，指示患者注視著屏風的正中央，當銀幕的左側在極短的時間（十分之一秒）出現物品名稱時，先讀出來，然後再以左手從屏風下的空隙去抓這件道具，如此做幾次的練習。要注意的是，做的時候左手伸到屏風的內側，患者本人看不到自己的左手，右手則放在桌

子下面不動。

例如，當銀幕印出「螺母」的這個名稱時，患者就要從杯子、刀子等小道具中正確地抓住螺母；印出「杯子」時，就牢牢地抓住杯子。但是在實驗之後問患者說：「你拿了那些東西呢？」患者卻渾然不知道自己是拿了杯子或螺母。

物品名稱是在銀幕的左側印現出來的，而因為神經纖維的行走，只能傳送到大腦的右半球，所以左手的反應動作主要是因為右半球和神經纖維聯繫在一起所致。因此做這個實驗也只是在測試大腦右半球的功能而已。

患者的左半球對於銀幕上所印出來的物品名稱完全沒有看進去，再加上右手完全沒有使用，所以也只有右半球才知道左手抓住什麼東西。

被切斷腦樑的患者，透過眼睛使用左手去進行，但只要左半球沒有看就沒有知覺，雖然右腦可以讀出「螺母」或「杯子」等等物品名稱，再根據名稱的文字去抓住所顯示的東西，進行智慧性的行為，但是左腦對於該事的進行全然不知，所以當問患者剛才做了那些事情的問題時，雖然患者能理解問題的所在，卻答不出來，因為這是必須完全仰賴有語言中樞的左腦才可以做到的，而腦樑被切斷的患者，左右

螺母

腦無法連繫，因此命令他做了些什麼事情，他完全不知道。

從這個實驗中可以了解到一點，那就是可以利用右腦閱讀文字，再配合手上的運動來完成一個動作，但對該行動卻完全沒有知覺；如果以同樣的作業讓左手去做，他雖然可能抓不住螺母或杯子，卻能完全記住剛才命令他所做的事情。

男性右腦的能力比較卓越

根據史倍力博士所做的實驗，在銀幕的左側印出「杯子」的字幕，右側印出「螺母」的字幕，這時候被送入患者右腦的是「杯子」，左腦的是「螺母」。緊接著馬上問患者：「剛才出現的是什麼字？」患者會回答：「只看到了螺母的文字。」但對於右腦所出現的「杯子」文字卻完全忘記了。

另外又在銀幕的左側印出一個大字（Book），並叫患者用左手寫出小字的（book），或者當印出「點火」兩字時，要患者從多數的小道具中，以左手去抓住火柴。史倍力博士從這些種種的實驗中，得到了許多寶貴的結論，將要點概括起來有以下兩點。

①左腦負責說話、寫字、閱讀和聽，是屬於理解性的語言功能中樞；右腦對於話和文字也則稍微可以理解。

②對於感覺上的認識與推理，似乎以右腦為佳。例如，只看到了一部份的圖形，就能判斷到整體，並可以用積木組成一個模樣，像這些能力則完全仰賴右腦的功能。

從以上的結論就可以了解大腦的左右腦其所扮演的功能是不同的，左腦的主要功能除了說話之外，還負有閱讀、寫字、計算等等理論性的作業；右腦則以對音樂、藝術、形狀和空間性的認識為主，並需要做綜合性的判斷，像大腦這種左右各自分擔不同功能的情形，又稱之為「側化性」。

而且這種側化性也有男女之間的差異，根據最近的研究報導指出，男性的右腦能力比女性為優，這也是女性對於方向經常搞不清楚的主要原因。

☆任何人只要看了一眼就可記憶

右腦以直觀力判斷事情

總而言之，人類右腦的高度能力是非常了不起的，而左右腦功能的差異，則是在二十多年前就已經被人發現了。

那是在一九六一年，有一位叫做布羅卡的外科醫生，在對一位左腦受傷的患者進行治療時，發現這位患者無法閱讀，並有語言方面的障礙，從這裡他就發現了人類的語言中樞是位於左腦；前面也提過，一百多年以前的人，從左腦負傷的士兵大部份罹患失語症中，就已猜測到左腦具有語言中樞，二十多年前又由布羅卡確定了語言中樞是位於左腦的部位上，再透過史倍力博士對切斷腦樑的患者所做的實驗結果，更具體地發現到左右腦的功能是有差別的，於是就展開了對左右腦的研究。

史倍力博士的實驗是舉世聞名的，這裡將利用一些篇幅來加以介紹。

從史倍力以來，曾經做過許許多多的實驗和研究，終於使人們了解到左右腦在功能上的差異，並且發現位於左腦的語言中樞，具有使人閱讀文字、理解數字的能力，甚至對於一切事物也能做理論性的思考，也就是說，具有優秀的語言、記號、文字、理解等等之分析能力。

與之相反的右腦，對於繪畫、音樂等等需要感覺性的事物能發揮其能力，甚至也可以分辨其形狀，再透過印象以直觀的方式來判斷事物，也就是說，右腦具有繪畫、音樂等方面有非常卓越的直觀性。

說話、閱讀、寫文章、思考理論性的事物，或處理複雜的事情，完全仰賴左腦的功能；相反地，右腦能夠鑑賞藝術、擴大印象，將事物變成直觀像，具有綜合性的理解能力。

右腦速讀其實就是善加利用右腦所具有的直觀性和綜合性的能力罷了。以直觀性將事物掌握住為直觀像，也就是說將並列在書中的文字，掌握成為直觀像，再運用速讀的方法閱讀，所以右腦速讀的原理也就是一種直觀像。

直觀像出現後是永遠不會消失的

很多人都是第一次聽到「直觀像」，這是德國的心理學者印修所研究出來的，他認為人類對於事物只要稍微一瞥，就有能力將其傳到腦海中並記憶起來。根據印

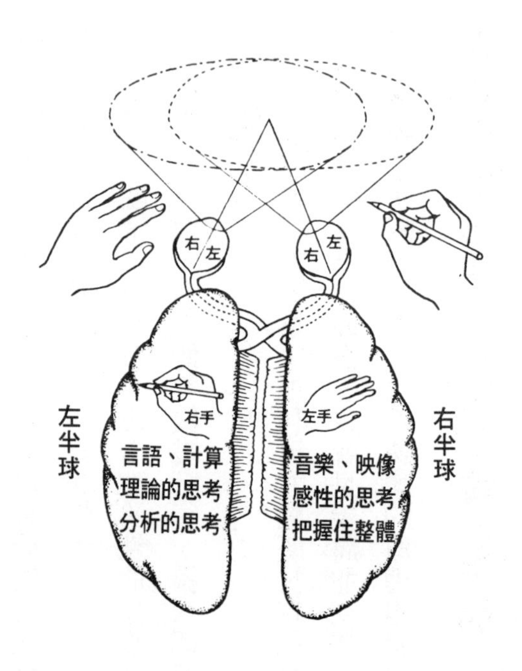

修的研究顯示，約有百分之八十的兒童已具有這種能力，日本也做過這種研究，根據其所測驗的報告指出，約有百分之七十五以上的兒童具有此項能力。

那麼，直觀像究竟是什麼呢？直觀像就是透過直觀而呈現出來的影像，它與殘留下來的影像或幻覺所產生的影像是不同的。因為這種直觀像，即使過了很久以後，還會再清楚地想起來，而殘留下來的像，則在對象物消失後，也跟著消失。只有直觀像是永遠不會消失的。

根據印修的研究理論顯示，直

觀像就像下面的例子。

讓一個還未學過寫字的小孩子看一張圖畫，並在畫的中間寫著德語，然後再把那張畫蓋起來，結果發現這個小孩子不但了解到畫中所畫的，也很容易地就想起那句德語。雖然這個小孩還未學過文字，也不可能了解德語，但他卻只看了一眼就記住了德語。

人類就是具備了這種能力，所以並不是凝視著畫，而是一瞥而已，卻能將畫中的一切都留在腦海中，這就和人類預知的能力一樣，一般來說，孩子所具有的這種能力比大人還要好。

就直觀像來說，兒童比大人還要能夠掌握住一切，而隨著年齡的成長，這種能力便會逐漸地衰退。但是一些被稱為優秀的藝術和天才，都是成人以後還繼續保持著直觀像的能力，天才歌德的誕生，也就是因為他始終都保持著直觀像所致。

☆右腦比較容易記住國字

父母不要太在意孩子IQ的高低

一個人頭腦的好壞與學業成績的高低是完全沒有關係的。同樣地，智能的指數（ＩＱ）和頭腦的優秀與否也完全無關。

據說歌德的ＩＱ為一八五，巴斯可的ＩＱ則為一七五，由此可以想像天才的ＩＱ都很高，但是「ＩＱ」的被拿來使用卻是在二十世紀以後，那麽究竟有誰能說出歌德和巴斯可真正的ＩＱ數值呢？由此就可以推斷出他們兩人的ＩＱ數值並沒有任何根據，而是由後人所推測出來的。所以說『一般天才的ＩＱ都很高』的這個說法也不是絕對性的。

儘管如此，每一個做父母的對於自己孩子的ＩＱ還是非常在乎，有些父母在孩子還在上幼稚園或小學低年級時，就讓孩子很辛苦地去做一些有關ＩＱ的測驗練習，這真是毫無意義可言。因為一個人是否是天才，與ＩＱ完全沒有關係，而是由是否能保持直觀像來決定的。右腦速讀的目的就是要強調這種直觀像，並提高直觀性的訓練，希望各位讀者都能以這個觀點為出發點，並認識右腦速讀的功能和效果。

兒童比較容易記住國字

我們已經了解，記住語言和理解事物是左腦的工作，但是如果文字語言分為國字與字母時，使用右腦去記住漢字比較容易，左腦則負責字母的記憶。

例如，做右腦速讀時，將字母並排在一起，再逐字地去加以記住，會很困難，因為這樣並無法掌握住其文字的意思。要訓練直觀的功能，就必須先訓練理論性，也就是以右腦速讀，或將表面上的字母構成一個單字，再用直觀法加以記憶，這時只要眼睛稍微一瞥就可以了解它的意思了。例如「南無妙法蓮華經」中的國字，就可以利用右腦速讀加以掌握住其涵意。

以字母或記號所排列出來的字，是不能一一記住的，甚至無法閱讀出來，但是漢字則不同，愈是複雜的字愈是容易讀與寫，不像字母因為沒辦法讀，而無法了解其意義。

前一章曾經提到生字的學習，以右腦速讀最為適當，同時右腦對於繪畫性或形體的知覺最敏銳，因此具有複雜形體的國字，可以做成一個圖形來認識，並以整體性的印象來加以閱讀。

曾經有一位叫石井勳的教育家，當他在教小學低年級的兒童認字時，測試了兒童對「九」「鳥」「鳩」三個字所接受的難易程度，結果發現兒童較易記住「鳩」這個字，對「九」反而不易記住，這主要是因為兒童較常看到鳩，對鳩的感覺比較實際，也比較熟悉。

人類的思考進展，是由具體步入抽象，也就是從直觀進入理論的過程，兒童對於抽象性的文字比較不易記下來，但對於具體性的字卻很容易記下來。

☆人在○・○一秒就對事物有所知覺

古時候的人其直觀的能力比較敏銳

我們暫時先將話題回到前面，就如同德國印修曾經做過的直觀像研究一樣，有一位叫做多布的心理學家，曾經到奈及利亞針對伊伯族，做直觀像的研究，結果做出了以下的報告。

居住在未開發地區的伊伯族人，不管是大人或小孩都具有優秀的直觀像，但是將他們帶到都市，過著文化性的生活後，優秀的直觀能力就完全喪失了。當我們對這種現象仔細思考後，就可以發現，我們的祖先在還沒有文字的時代裡，就能記住很多事情，由此也可了解到從前的人只要透過眼睛看東西，就可以馬上將印象印入頭腦中。

隨著時代的演進，人類為了將意思傳達給遠方的友人，或為了把某些事物流傳給後代的子孫，就用結繩及畫符號的方式為之，後來演變為象形文字，有了象形文字才開始有了文字文化，並使用文字寫下歷史。

文字文化發達以後，人類從文字中獲得了許多知識，但最近以錄影機或錄音帶將知識傳達給人的方法非常發達，不過一般還是以文字表達為主，可是我們的祖先們都保持著直觀像，不但可以記憶很多事，還有極敏銳的觀察力，這是與現代人所擁有的能力不同之處。

我們都知道，人類本來就擁有這種直觀的能力，只不過現代人已經捨棄不用了，如果能夠再重新恢復右腦的腦力，不斷地訓練右腦的活動能力，也就能再具有像古代人一樣的能力了。

未預料到的大腦生理學學說也獲得了實證

筆者的速讀研究補習班，在四年前就已發現了右腦活用的方法，當然那時並沒有像現在這樣，根據理論來做實驗，只是著重史倍力博士的實驗成果，再運用金湧真的速讀方式，去嘗試使用右腦速讀而已。

當時筆者的補習班教室在東京的八王子市，只是將一些初中或高中的女生集合起來做速讀的訓練，那時筆者並不敢奢望她們能很快地閱讀完一本書，但在不斷地練習後，這些女孩子居然能以非常快的速度來「視書」。

當時還是初中生的青柳扶美枝同學，和高中生的川口奈奈同學，她們兩個人的速讀速度特別快，閱讀全册的「戰爭與和平」只花費了四分鐘，問她們道：

「以這種速度真的可以看到文章的內涵嗎？」

她們紛紛答道：「可以。」

這就如同史倍力博士所說的，對於每頁只要五十五分之一秒就能有所了解，以這種方式計算的話，那麼一分鐘就可看到三千頁了。

後來，筆者也閱讀了各種與大腦生理學有關的書，在京都大學久保田競教授所著的「手與腦」中，提到了人類只要在○・○一秒的時間內，就會對一切的事物有所知覺，如果照他的說法，那麼一本大約三十萬字左右的書，一分鐘之內就可反覆地看十五次。

久保田競教授的學說，給予筆者的補習班最強而有力的證明。目前在補習班裡，速讀最快的學生，每一頁只要○・○一○三秒的時間就可看完，而能達○・○一秒速度的學生在筆者的補習班裡就有二十餘人之多。

☆右腦是一個裝滿記憶的大倉庫

以印象方式來記憶

右腦雖然沒有語言中樞，但就如前面所說的，它仍具有無數的優越能力。當我們要記憶某項事物時，先將該要記憶的事情完全印象化，再善加地運用右腦，則記憶起來就更為容易了，這就是右腦的功能。所以說右腦的記憶完全是印象化，而且從左腦一邊觀察，一邊做理論性的語言化作業。

記憶的運作過程到目前為止還沒有完全被發現，但可以確定的是以印象化的方式比較容易記，很顯然地這與右腦的功能有很大的關係。例如，我們很久以前所學會的歌，現在要突然想出歌詞，有時也想不出來，但如果配上旋律，就有可能會將整首歌一句不漏地朗朗上口了。或者如電話號碼，如果按照號碼想出其他的意思，記起來就容易多了。

那麼，右腦所記憶的這些知識，要怎樣才能永遠記住？或如何加以活用呢？日本醫科大學品川嘉也教授在他的著作，『右腦型人類、左腦型人類』中，有這麼一段話：「記憶語言的是左腦，但說話的字彙則是由右腦的印象結合並加以記憶，也就是當你在回憶時，先鈎起印象，再由左腦變為語言化。」所以說根據印象所記住的記憶，也就是利用右腦來記憶，或變成語言化再加以記憶。總而言之，右腦的記憶要比左腦的記憶大約多一百萬倍以上。

右腦中永遠充滿了記憶

第二次世界大戰以前，加拿大曾經做過有關「記憶力」方面的實驗，這個實驗證明了右腦就好像一個大倉庫，永遠被事物塞得滿滿的；也像丟在一旁的錄影帶，只要將它放入錄放影機中，藏在右腦中的記憶與資訊就會再顯現出來。

將一個二十六歲罹患了癲癇症的女性患者的頭蓋骨打開，然後在其右腦的側頭葉給予電擊，當在某一個部份給予電力刺激時，該名患者就聽到了在河邊戲水的男女對話聲，因爲這個河邊是她小時候常去玩的地方；如果換個部位給予電力刺激的話，卻看到了木柴的放置場所，以及聽到從前鄰居朋友的聲音等等，她的這種影象就如電影畫面般一個接著一個，具有連貫性。這時患者所回憶出來的，完全是靠電擊以後才又出現的，如果沒有經過電擊的幫助，她是無法再想像出來的。也就是說，患者以前有過的這些經驗，這時又呈現出來了。

根據以上這項實驗的詳細情形，日本群馬大學的榮譽教授高木貞敬，在他所著的「記憶功能」一書中，也敍述在這項實驗中，證明了人類的右腦中隱藏著無數的記憶，過去的所有經驗完全進入了右腦成了記憶，但是透過右腦的記憶，一邊加以觀察一邊給予語言化，卻是左腦的功能。

☆大腦中有一百四十億個腦細胞

記憶的功能是解開大腦之謎的鑰匙

使得右腦和左腦能互為連繫的是腦樑，所以史倍力博士所做的實驗便是以切斷腦樑的癲癇患者為對象，患者的腦樑因為被切斷了，右腦的知覺無法傳送到左腦，對於自己所做的事情就無法完全記住。

但記憶是大腦的一種功能，到目前為止仍是腦學研究中最大的謎題，許多研究者無不絞盡腦汁地想辦法解其謎。例如，思考、判斷、認識、運動等多數的腦功能，都是以記憶作為基礎的功能，因此對大腦的研究者來說，如果想解開大腦的記憶功能，或許從右腦速讀的成果，也可以獲得相當大的啟示。

右腦和左腦的功能是有區別的，所以下面對於腦的功能和組織將要加以研究。

皺紋愈多，所藏的玄機愈深

從前的人都認為心就是在心臟，中醫方面認為腦就像油海一般，裝滿了油，沒有思考的功能，而希臘的大哲學家亞里斯多得更認為精神是位於心臟的部位，但是現代人的想法已大為改變，認為心的中心其實就是大腦。

人類的大腦有大腦皮質的部份，與其他的動物比起來是發達得太多了，人類在進化的過程中所獲得的東西，也是由大腦皮質發育而來的，藉此才能做各種智慧性的活動。而人類的智慧與猴子的智慧又有相當大的差異。

大腦皮質覆蓋住大腦的表面，而且刻劃著非常深的皺紋，如果從頭中將大腦皮質取出並予以拉直，那麼它的大小就有如攤開的報紙一樣，而且是兩面加起來的大小，在這當中便含有一百四十億個腦細胞。

現在舉個例子來說：有一個人要來向你借錢，你心裡想著「糟糕」，於是想趕

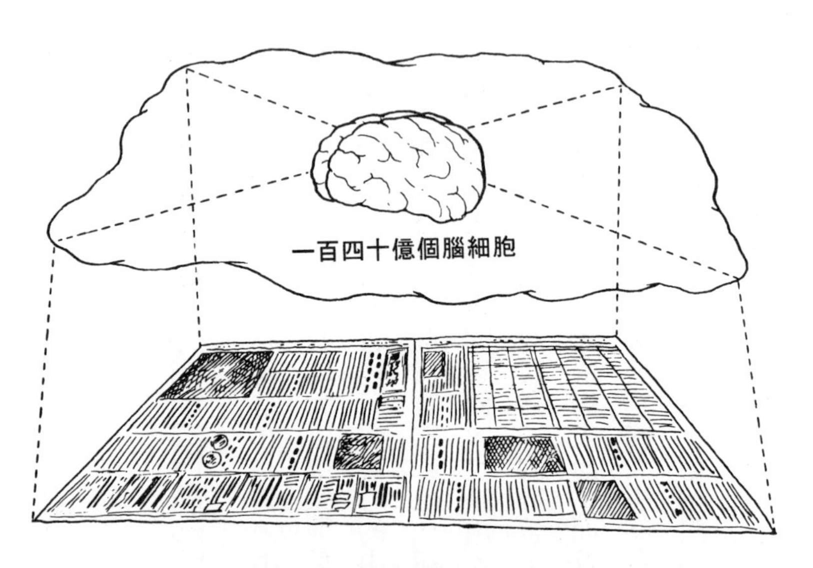

大腦皮質的表面積等於兩面報紙的大小

大腦皮質的厚度平均為二・五毫米

快躲起來。這主要就是透過眼睛將想要借錢的人的態度，印入視覺中樞，然後再思考並發揮判斷的作用，於是判斷中樞發出「立刻跑」的命令給運動中樞，最後這個命令就透過脊髓傳到兩腳。以文字來敍述這件事可能要非常的長，但發生卻只是一瞬間的時間而已。而這個判斷中樞和命令中樞即是隱藏在兩面報紙大小的大腦皮質內。

就如前面所說明過的，大腦分為右半球和左半球，而連接這兩半球的即是非常深奧的腦樑。

大腦可分為四個部份

大腦大致可分為四個部份，這與右腦、左腦是完全無關的。在頭部的前方，也就是接近額頭部份的稱為前頭葉，負責意志、思考和發揮創作的功能；兩側稱為側頭葉，語言中樞則由左腦的側頭葉分擔功能；後頭部稱為後頭葉，含有視覺中樞。

前頭葉愈發達的人，愈能發揮人性的思考；反之，前頭葉不發達的人，凡事皆無主張。從前有一位罹患精神分裂症的患者，以切開前頭葉進行額葉白質切除術（lobotomy）的治療方法，其精神分裂的症狀是被控制住了，但患者卻變得虛弱無力，如同廢人一般。這種額葉白質切除術是一種缺乏人性的手術，所以目前已被禁止。

在所有的動物中，只有人類的前頭葉比較發達，而且其功能最為重要，它除了掌管聽覺、視覺等人類五個感官之外，還具有認識、思考、語言、意志、創造等等的功能，另外，記憶中樞也位在此一大腦皮質葉，分別採取分工合作的體制。

從古希臘時代人類就開始熱烈地探討大腦皮質的奧秘，在那時被稱為醫學之父

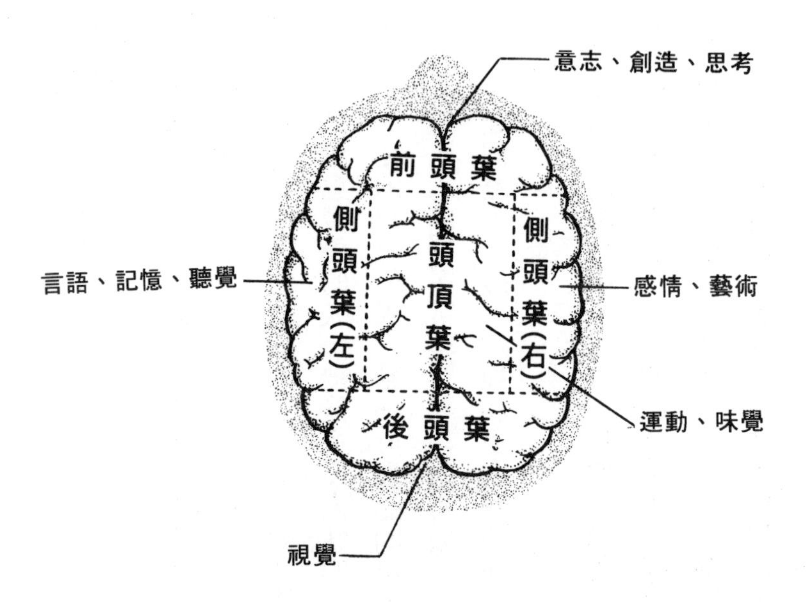

或醫聖的古希臘希伯克拉底斯，就曾說過人類因為有大腦，所以才能有所見聞、才能知道美醜、才能判斷善惡、才能感到愉快與否，在解剖學還不大進步的古希臘時代，他就能有這種卓越的見解實在是很了不起。但後來隨著時代的進步，希伯克拉底斯的卓見逐漸地被人遺忘，從亞里斯多德之後，人們就一直相信心就是位於心臟，且認為人類是奇妙而不可思議的。

本來，頭的大小或大腦的重量，與頭腦的好壞給人的感覺是息息相關的，但是現在ＩＱ的數值和頭腦的好壞都已被確定是無關的，大腦的大小、重量與頭腦的好壞就更是沒有關聯了。下面我們將要來介紹大腦的大小和腦細胞的數量。

☆頭腦的功能中神經腱的數量之重要性大於腦細胞的數量

神經回路中所不可缺少的神經膠質細胞（glia）

嬰兒剛生下來時，大腦大約有四百公克，等長大成人後則大約有一千四百公克，也就是說隨著成長，人類的大腦大約增大到三倍。嬰兒出生後的六個月，其大腦的重量約剛出生的兩倍，七、八歲時等於是大人重量的百分之九十，等到了二十歲左右就發育完全了，在發育完全後，腦細胞的數量就不會再增加，因為腦細胞的數量沒有再增加，所以大腦才只比剛出生時大三倍而已。

因為腦細胞的數量沒有再增加，所以神經回路，也就是神經分配的線路逐漸地複雜，甚至在發育的後期，神經膠質細胞的周圍組織也增加了，比起剛出生時的嬰兒多約三倍。

神經膠質細胞就是給予神經回路營養補給的重要細胞，並負有保護神經回路的作用，它的數量比神經細胞的數量為多，並分為三種不同的種類，一為直徑約三十至五十μ（千分之一毫米）的星狀神經膠質，二為大約十μ的希突起神經膠質，三則為更小的神經膠質，它們分別扮演著各種不同的功能。

例如，希突起神經膠質的作用是在保護神經纖維，它的功能如同保護電話線的塑膠質一般，如果這種希突起神經膠質不完善的話，就好像沒有包著塑膠質的電話線，會有線路不清的狀況出現，尚在牙牙學語中的幼兒，無法清楚具體地說出話來，就是因為希突起神經膠質細胞還太少，使得說話時常會混淆不清。

神經腱的形成時期是一定的

據說人的腦細胞從一生下來，數量不但不會再增加，而且還會隨著年齡的成長不斷地減少。

大腦神經細胞在剛出生時約有一百四十億個，而且每一個細胞都會逐漸地伸長成為長的纖維，並和其他的神經細胞互為聯絡形成一個回路。每一個神經細胞大約有一萬到十萬個聯絡場所，這個聯絡點就稱之為神經腱，神經腱與神經腱之間都有一個小小的細縫，並沒有互相連接在一起。

另外還有其他的神經細胞就被稱為神經元。

人類的大腦中最重要的不是神經細胞數，而是神經回路的數量，也就是神經腱的多寡。神經回路隨著年齡的成長逐漸地形成，在這段期間內沒有參與形成神經回路的神經細胞就會不斷地死亡。所以剛生下來的嬰兒，其腦神經細胞大約比成人多百分之四十。

以剛出生的貓或猴子做實驗，在他們出生後不久，就立刻將牠們的一隻眼睛矇上兩個多月，使之無法看東西，等再將矇住的布條打開時，結果發現被矇住的這隻眼睛其視力已無法恢復了。因為當牠們的視覺正要形成時，來自外界的刺激被遮掉了，一些正準備參與形成視神經回路的神經細胞，就因此死亡而失去了作用。

因此在應該學習的期間，如果停頓下來不再學習，神經回路就無法再擴展，並

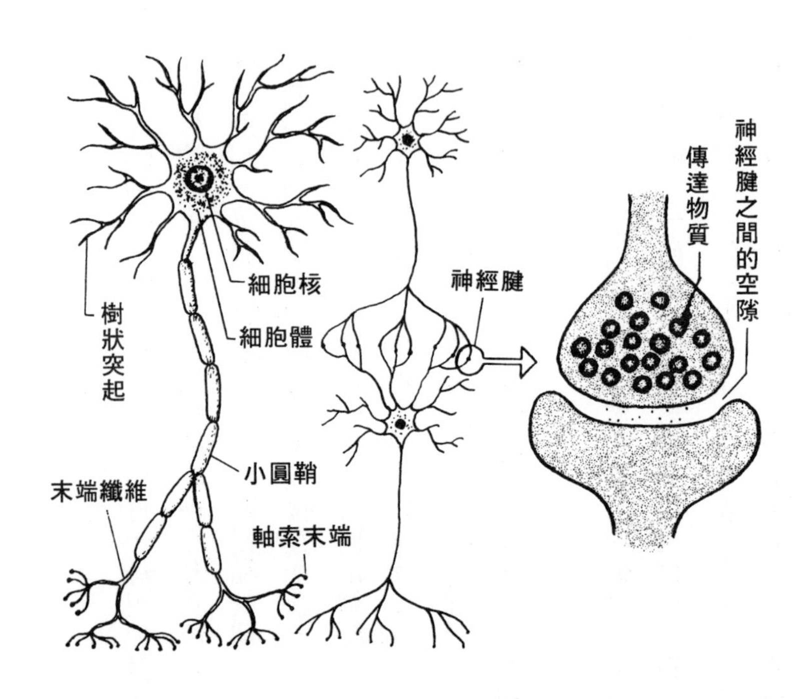

使沒有參與神經回路的腦神經細胞逐漸地死亡。

據說剛生下來的嬰兒其腦神經細胞的數量，與非常用功讀書的二十歲年輕人的腦神經細胞數量大致相同，而一個不用功讀書的二十歲年輕人，其腦神經細胞的數量就會大為地減少。

☆大腦不好好利用很快就變成白痴

減少大約百分之三十的神經細胞

曾經有人說過「如果不好好地利用大腦則很快地就會變成白痴。」根據大腦生理學來看，這個說法是正確的。

肌肉愈使用就會愈發達，如果長時間不使用就會變瘦，甚至變形。例如，骨折的人，在肌肉外層裹上了石膏，等把石膏剝下來後，一定會感覺瘦弱了不少。同樣的道理，腦細胞也會產生同樣的情形，如果長時間不使用大腦，腦神經細胞就會消失甚至滅亡，形成了腦細胞的萎縮現象。

人類過了二十歲之後，到八十歲以前，在大腦皮質中的固定面積裡，其神經細胞數大約會減少百分之三十，以普通的說法則是每天死亡約一萬個至二萬個，但也有人說每天約死亡十萬個以上。

雖然這個數字非常地驚人，但無需太過於驚訝，因為大腦的神經細胞有一百億個以上，且大部份都只是做為預備用，實際上參與活動的神經細胞只是一百億個中的百分之二至百分之三而已。

大腦愈受刺激就愈發達

大腦愈接受刺激就愈發達的這個問題，與其說和腦神經細胞的數量有關，不如說和神經回路的數字有關。人類的大腦最重要的就是要經常不斷的使用，促使腦細胞不斷地活動。換句話說，也就是要鍛鍊右腦。

人類的大腦要在接受刺激之下，才能達到正常的發育，腦的神經回路在反覆地經過各種柔軟的刺激之後，才能調整其功能，應付各種狀態，由此可見大腦具有可塑性。

所謂可塑性就如同橡膠或塑膠，如果用力地彈它，會很快地彈回來；黏土也是具有可塑性，只要壓它就會扁下去，不像金屬、木頭等非常堅硬的東西，即使壓它也不會扁掉，當然更沒有彈性可言，所以不具可塑性。

在腦的神經回路中扮演著下命令，傳達資訊和記憶等重要功能的神經腱也具有可塑性，根據神經腱的可塑性，大腦也可以做各種的適應。而證明這一點的，是一九八五年八月的某日，因日航飛機墜落而發生事故的阪大基礎工學部教授塚原仲晃所發現的。

腦具有可塑性

下面所要講的即是神經腱可塑性的例子。

有一個年輕人很喜歡騎機車，但有一次因速度太快而發生了車禍，使得他的腕部神經從脊髓根部完全喪失了，在沒有辦法恢復的情況下只好仰賴義肢了。日本有一個外科醫生的醫術非常優秀，他將控制這個年輕人身體上呼吸筋功能的神經——也就是肋肩神經抽出一部份，接到促使肘部彎曲的二頭肌神經上，也就是說用肋肩神經的尖端來取代呼吸肌，連接到上腕的二頭肌處。

雖然神經連接起來了，但在每次呼吸時的無意識中，呼吸筋的神經作用都會促使手腕彎曲，即使打噴嚏，腕部也會跟著彎曲，不過半年之後，這種情形在不知不覺中消失了，這位年輕人已能隨意地移動腕部。

根據已故的塚原教授指出：「這個例子就是呼吸運動控制中樞產生的可塑性變化，為了能夠發揮控制四肢運動的功能，所以腦的神經回路再度被塑造出來。」

如此說來，神經回路也像視覺一樣，在幼小的時期就已經形成了；我們人類大腦的組織蘊藏著無限的神秘。從有句俗話說：「六十歲才開始學習技能。」中可顯示「腦是可塑性的」，人不論活到幾歲，都要不斷地學習，如果不加以學習，總有一天會萎縮的。

☆大腦的記憶容量是電腦的一百萬倍

記憶就像錄影帶一樣

前面曾經提過很多關於大腦的組織問題，連一些和右腦速讀沒有直接關係的話也說過，但是為了了解頭腦的使用方法，就必須先理解頭腦的作用與功能，就如同我們在買進新的照相機或個人電腦時，必須先閱讀其說明書一樣。

如果將記憶加入些現代科學的知識來加以說明的話，那麼記憶就是①必須將某一項事物的印象深刻感覺後再銘記，②就是要保持不忘記的銘記過程，③就是將所保存的印象，再創造出更深刻的印象，有了這三個過程之後，再附帶一點，④必須要有經驗，亦即等記憶之後再確認過程。

有些人認為這種記憶方式就如錄影帶一樣，但如果仔細地加以探討，則會發現人類的大腦和錄影帶是不同的，因為人類的大腦可以比錄影帶裝入更多的事物，而且錄影帶一旦被洗掉了，所有的事物就會完全喪失掉，就如大腦把一切事情完全忘記一樣。

以經驗的方式加以記憶

忘記的速度也會隨著記憶的種類而有所不同，一般人對於別人的名字很容易忘記，往往剛交換完名片，就馬上想不起該人的名字，這主要是因為過分依賴名片，銘記的方法錯誤所致，如果能將人臉上的特徵記在腦海裡便容易記住了。

有些應該加以記憶的事情往往非常地複雜而難記，例如，歷史年代、電話號碼等等，如果記憶力不好或記憶的方法不對，就會立刻忘記，但是有一些快樂或悲哀的回憶，卻是要忘也忘不了。

例如，自行車的騎法和游泳等等有關運動的記憶，一旦學會，是一生也無法忘記的，有人說：「在冬天學游泳會學得更好，夏天學溜冰會溜得更棒。」

由此可見，記憶往往是在記住後，過了一段時間才會應用出來的，像溜冰或游泳等運動，如果分別在適當的季節前拼命地努力練習，也不會像在別的季節中學得那麼快速。

游泳和溜冰的例子，就是銘記方法之後，中間完全不休息，但與其做集中性的學習，不如中間隔斷時間來學習較能持久，當然在銘記時，應該記憶的項目如果以印象來記憶就更容易了，就如同前面一再強調必須活用右腦的方法一樣，某種記憶方面的天才，能夠記住十位以上的數字，據說都是將數字配合著自己出生的故鄉風景，形成印象化來記憶的。

記憶的貯藏庫不知在何處

人類的記憶據說是在腦中留下某種變化的記憶痕跡而形成的，所以大腦生理學家就將這種記憶的痕跡稱為「銘記」。

這種「銘記」究竟是位於大腦的何處？我究竟是何物？是許許多多研究者一直在探索的問題。一般認為，從神經細胞之間的接縫，就可以解開有關於神經腱連絡的秘密，也就如前面敍述過的，腦的可塑性與人的記憶有很大的關連，但記憶的貯藏庫究竟位於腦的何處，至今仍是一個謎。

以前一般人認為在腦的深奧處有一個稱為「海馬」的部位，就是記憶的貯藏庫，海馬位於大腦內最老的邊緣系部位上，形狀就像海馬一樣，所以將之稱為海馬。但是根據各種實驗顯示，海馬雖與各種記憶有重大的關連，但也只是記住一些單純的事情，和做短暫時的記憶罷了，無法稱之為記憶的貯藏庫，根據美國保健研究所米夏金博士的研究指出，在破壞猴腦的實驗中，發現了與視覺有關的記憶，是貯藏在被稱為下側頭回的部分，而與聽覺有關的記憶則在上側頭回的部分。

呈睡眠狀態中的記憶倉庫

從各項實驗的報告顯示，有關於知識性的記憶儲藏庫，到目前為止，依然沒有具體的學說。只有加拿大對癲癇患者所做的實驗報告中，發表「右腦是沈睡中的記憶大倉庫」，比較具有說服力。

如果要將大腦生理學的最新見解加以介紹，那麼和以上的報告也是雷同的，在前面已經強調過好幾次，大腦的作用隱藏著許多的謎題，但不管如何，仰賴右腦的作用，將一件事物加以印象化或形體化，就比較容易記住的說法是較為具體的。

總之，腦的記憶容量比大型的電腦還要大出一百萬倍，所以千萬不要忽視了大腦的存在，因此，筆者認為如果能學習右腦速讀，就能大大地發揮右腦的功能。

第三章　爲什麼右腦可以速讀呢

☆開發右腦的潛能

解決模糊記憶的方法

本章是針對下一章右腦速讀訓練所做的理論篇，也就是探討在什麽樣的情況之下，應該以後面所敍述的訓練方法來進行速讀。

人類是喜歡閱讀書籍的動物，反過來說也唯有讀書才算是一個人，在電視剛普及的時候，就有很多人擔心報紙的量會受影響甚至會消失掉，但是在電視普及了三十年後的今天，報紙不但依然屹立不搖，反而有愈來愈興盛的趨勢，一些大報的發行數量，比起電視還未普及之前，高出好幾倍以上。

即使今天已是一個電腦全盛的資訊社會，將來必會走向電視化或電腦化，但只要人類存有學習知識的慾望，那麽閱讀書籍的文化就不會消失，而且不管在任何時候閱讀文化、視聽文化和電腦文化，都是可以相提並論的。

人類往往因為興趣、學習、調查、研究等等各種不同的目的才去閱讀書籍。如果是為了興趣去閱讀小說，則會覺得趣味橫生；但如果是為了考試或做生意而不得不去看一本書，或要在一定的時間內閱讀相當量的書籍，那就會覺得相當吃力。

人類與生俱來對於悲苦的事情，都會有比較深刻的記憶，但往往又想快點忘記，於是在這種矛盾的心情下就會進退兩難，覺得非常痛苦。

人類的記憶可分為長期記憶和短期記憶兩種。所謂長期記憶就是對於非常快樂或非常痛苦的事，在人生的旅途中會永遠記住。而對於那些熬了夜，拼命用功想要記住的書本上知識，在第二天一考就忘得一乾二淨的短暫記憶就是短期記憶。

人類就是因為會忘記，所以才會產生新的記憶，因此，如何巧妙地忘記一些事情也是很重要的，更是人類大腦的一種生理機能，可以說是人類社會生活中所不可缺少的技巧。

在競爭的社會當中，為了能夠領先別人，所以必須具備有記住之後馬上忘記的技巧，因為把一些不好的記憶忘掉，就像再開發新的能力一樣。這種如何忘掉一切不愉快記憶的方法，就如同現在所要說明的右腦速讀是一樣的。

根據右腦速讀法，可開發右腦的潛能和培養人的能力，以及開創新的人生觀，是筆者所深信不疑的。

☆大腦受刺激後會更為活絡

右腦就好像印入複寫紙的文字一樣

右腦的速讀究竟是以什麼理論為基礎？又是根據什麼方法來進行解說的呢？

如果簡單地下個結論，那麼可以說：右腦速讀並不是讀書而是視書。就像電動式的照相機在速寫一樣，將書本上的文字印入右腦中。

人的兩眼就好像照相機的鏡頭，而右腦就如同可以照射幾百張，甚至幾千張的膠捲一樣，以每一個人都會的一般方法閱讀，也就是從這一行看到那一行，從上一頁看到下一頁的閱讀方法。但是以右腦來視書，能以○・○一秒的速度閱讀一頁，所以說進入到右腦中的並不是看，而是視。

速讀的訓練在剛開始時並不需要利用書本，也就是不需要從視文字開始訓練，而是要從視記號開始。因為最初如果從寫著文字的書開始訓練，那只是人類為了閱讀文字而必須做「視」的訓練。因此速讀首先必須快速地做視記號的訓練，每天反覆不斷地練習，將並列的記號整體性地看過去，而且必須訓練到能用一隻眼去視之後，再去訓練如何快速地將書本上文字視出來。

必須把投手所投出的球看成是停止的狀態

這種速讀法的初步訓練意義，就是必須先了解棒球中，投手所投出的球，和打擊者之間的關係。

如果叫少年棒球隊的打擊手，去打擊職業棒球投手所投出來的球，是絕對不可能的，例如，中日隊的小松或巨人隊的桑田，他們所投出來的球不僅不適合少年棒球隊的打擊，連高中棒球隊的選手也沒辦法打擊，但如果是同樣的職業棒球選手的話，就有很多人能打擊到所投出的快速球，當然有時也會有安打和壞球的不同情況出現。而投手所投出的球速也因人而異，一般少年棒球隊的球速約在九十公里左右；高中生的棒球隊則在一百二十公里到一百三十公里之間；而職業棒球隊的投手所投出的球速，有高達一百四十公里的。棒球選手通常必須不斷地練習和訓練，訓練到能接受快速球為止，只要能習慣了之後，就一定能打到快速球的。

被稱為日本打擊王的川上，能打擊一百四十公里左右的快速球，而把球視為在靜止的狀態下。速讀和棒球的要領是相同的，而且原理也是一樣的。

在筆者的速讀研究補習班接受訓練的學生，也必須和棒球隊的打擊者一樣，每天不斷地累積訓練，要讓文字像球一樣，在非常快速的情形之下，從左到右不斷地映入眼裡。

筆者曾經告訴學生們，要讓文字就像飛入眼裡一樣，所以其基本上的訓練，就是每天不斷地閱讀書籍，在每天不斷地練習下逐漸熟悉。讀者只要看到速讀的訓練和所產生的成果，就可以充分地理解人類的眼睛具有多大的威力。

根據運動醫學的研究顯示，一般的運動或僅僅是起立、坐下的普通動作，運動司令會從大腦深處中的視床，促使肌肉去移動眼球，在特別的情況之下，就像打擊快速球的時候一樣，大腦皮質都是非常活絡化的，這也就是大腦皮質的功能，至於為什麼會如此，至今還沒有具體的結論。

但是人類的五官一旦被壓抑了，大腦就會成為睡眠的狀態，相反地，如果經常做五官的訓練，大腦則會更為地靈活。五官是指視覺、聽覺、嗅覺、觸覺、味覺等五種感覺，速讀就是對視覺每天不斷地加以嚴格訓練，如此一來才能促使腦部更為活絡。

☆腦的活絡化由水晶體來決定

愈年輕的人學速讀效果愈大

速讀的訓練也就是對於腦細胞的訓練，所以說愈年輕的人，愈適合做這種訓練。

大體上看來，人類在十八歲左右就已成長結束，十八歲至三十歲是停滯成長的時期，三十歲就開始出現老化的現象，當然，每個人都有所差異，不能一概而論，但超過三十歲就逐漸地衰弱卻是必然的現象，因此過了三十歲以外，再開始學習速讀而有優秀成績的，就只有第五章中所提的宮坂先生的特殊例子而已，通常都是很難顯出特別功效的。

當然，三十歲以上的人學習速讀，也會有其成果，至少可促使大腦更為靈活，而且據說過了三十歲才開始學習速讀，對於商業界人士或從事研究工作的人，著實有很大的助益。只是目前從筆者的速讀研究補習班來看，如果想學會超能的速讀，那麼腦細胞和身體維持在成長最旺盛的十八歲前後最適宜。

還可以恢復視力

另外還有最重要的一點，那就是如果能學會以〇・〇一秒的速度來閱讀一頁的話，即使有嚴重的近視，也能恢復視力，不過，如果超過了三十歲就非常困難了。像筆者已是超過六十歲的人了，雖然非常認真地去學習，但總是無法達到快速去視文字的境界。

例如，筆者和小學生共同欣賞傍晚的景色，筆者認為夕陽很美，兒童也認為夕陽很美，但是事實上我們所看到的夕陽景色未必相同。

因為筆者所看到的夕陽是陰暗的，而兒童看到的夕陽卻是明亮的，但為什麼會形成這種情況呢？這乃是因為構成人類眼球的水晶體，大人和小孩的質是不一樣的，兒童眼睛內的水晶體，其蛋白質的粒子比較細，而大人水晶體的蛋白質粒子較粗，所以大人對光線不能完全吸進，看到的景象就會顯得黯淡無光。

有一次，筆者去參觀夜間的棒球比賽，覺得球場內非常陰暗，筆者還以為有霧籠罩著，但事實上，當天晚上根本無霧，而且因為平時看電視轉播時，球場都是非常明亮的，可是實際上球場不像在電視上所看到的那麼明亮。

這主要是因為電視上的畫面，能將球場上的亮度顯示出來，這種亮度就會印入眼睛的水晶體裡面，所以同樣是看球賽，看電視轉播就會比到球賽現場，感覺明亮得多。

又如早上六點三十分左右在房間內看報紙，筆者只能看到一些大標題，但兒童卻能將所有的小字都看得很清楚，這也是生理老化的現象，再怎麼樣也無法再回復的。

諸位讀者如果也是上了年紀的人，相信也會有同樣的感覺，想要快速地來視文字，卻無法很清楚地捕捉，就像精巧的照相機鏡頭一樣，必須能夠準確地掌握住景象，如果沒有這樣的眼睛，速讀起來是非常困難的。

根據學生們所填寫的資料顯示，有很多人自從學習了速讀以後，視力就變得非常好了。

試列舉來看，有的人有亂視，視力只有〇・八，到後來卻恢復為一・五，眼睛的解像度提高了，感覺上眼睛變年輕了，好像又恢復到青少年一樣，看起來就像一棵欣欣向榮的樹。因為眼睛就像具有超高速技能的自動化照相機一樣，不管看到什麼東西都可瞬間掌握住，所以一頁只要花上〇・〇一秒就能迅速地看完，而且集中力也能持續，即使伏案三、四小時也不會覺得疲倦，像這樣子可以說已比原來有了一百八十度的大轉變了。

☆右腦速讀可促使運動能力的提高

在會議上發言的頻率增加

因為學會了速讀方法，所以學習的能力也跟著提高，這是筆者在本書中一再強調的，一些只訓練了兩個多月的人，他們在學業上的成績也都大為提高。

不僅如此，最令人驚訝的是，很多人在學習了速讀以後，有了下列各種不同的能力出現，例如，有人參加空手道比賽得了冠軍，有人游泳速度加快，也有人繪畫能力加強，甚至有人在會議上發言的頻率增加，像這種資料報告不斷地出現，但這種現象與速讀訓練究竟是否確實有因果關係呢？現在就來做一個檢討。

學習能力提高

先將記憶分成銘記、保持、想起、確認四個過程，然後再舉出一個具體的例子。速讀方法初步階段的讀本，每本書的文字量約四千字，到了高級階段，文字量約十萬字，每一階段各有三册，每一册只能用一分鐘的時間去視讀然後銘記，等經過數十分鐘後再想起、再確認。

也就是在初步的訓練階段是一萬字。到了高級時必須訓練速讀到三十萬字以上，如此反覆不斷地訓練，不但可以鍛鍊頭腦，還可以發揮頭腦的可塑性，確實地銘記圖形和印象，形成可以確認的神經回路，正確地提高記憶的痕跡，也就是促使「保持→想起→確認→」的能力。

促使頭腦的發育活絡化，當然也就能提高學習的能力。

能夠鞭策腦的速讀

人類在一生中會學習到各種社會經驗，並從學習中將一些知識銘記在大腦，再配合需要予以巧妙地運用，然後形成可以運用的神經回路，這就是大腦的活性化。

學習彈鋼琴或繪畫的學生，自從學習了速讀之後也有顯著的進步，甚至在會議上發言的頻率也增加了，這就顯示出利用速讀的方法，可強制性地訓練頭腦，使得大腦變得更為靈活。

優秀的運動選手就是靠六官的發達

運動反應就是因為受到聲音、光線等等的刺激所引起的反應。視網膜受到外界光線的刺激後，會透過視覺神經，傳到大腦後頭葉的視覺中樞神經，然後再傳達給運動神經下命令，等這個命令傳達給手腳進行運動時，就會有無數的神經細胞隨之動起來，也因為這個原因，人類才會有行動的產生，而行動時所需要的時間通常是〇・二秒至〇・三秒。

但是人類在經過訓練後，受到外界刺激到行動為止，所需的時間則可縮短到〇・一八秒，其反應的差為〇・一二～〇・〇二秒。一些空手道、足球、棒球等等運動的勝敗關鍵，都在於反應的時間差，從這種時間上的差異，就可以決定能成為一流的選手或二流的選手。

以光線刺激，可以擴大中心視，也就是說可以擴大眼睛所注視的東西，使視網膜對於資訊所形成的像產生很大的差異，如此就會對判斷或行動造成相當大的影響，聲音或觸覺等等的刺激，是柔道、賽跑、游泳等等運動所必要的，這些行動反應如果受到光的刺激就會更快速，只要再經過訓練，則可縮短到〇・〇四秒的時間。

速讀方法中的「速視力」，就是指視一頁的速度。在初級的階段為〇・二七秒，但是到了高級的階段則為○・○一秒。讀書是受到光的刺激後進行的，速讀則是速度和光的刺激相加起來，就像翻書時左手的手指頭（主要是以大拇指和食指）的運動，必然會使大腦出現一連串的反應。

以這種鍛鍊方式來訓練五官，很快地就會發展到六官，也就是促使直觀性的預測反應發達，這就如我們所看到的超級運動選手的絕妙球技一樣，他們因為右腦的靈活，而表現出一種毫無意識性的運動，例如，棒球比賽時，外野手能夠接住非常高而且快速的球，他們的表演都非常漂亮，如果要他們去做電影中的客串表演，也一定是綽綽有餘的，這主要是因為他們的右腦比較靈活，使得六官發達，所以能夠在瞬間表現出非常美妙而神奇的動作。

☆藉由訓練可使條件反射變得更快

可以快速地傳送大腦中樞的命令

現在將運動反應加以附帶說明。

一般說來，運動方面比較差的人是因為其運動神經比較遲鈍，而運動方面表現比較好的人，則是因為反射神經比較發達。但是如果從運動生理學來看，這種用語是不對的。因為反射神經是無條件的反射作用，也是人類得天獨厚之處，任何人生下來就具有反射神經，例如，將食物放到嘴裡就會產生唾液，天氣熱了就會流汗，這些都是在無意識中，身體所產生的反射作用，是一種訓練也訓練不出來的性質。這就是反射神經的作用。

運動方面表現好的人，不能說是因為反射神經的作用，而應該說是條件反射比較快。條件反射也就是大腦中樞的命令可以迅速地傳給運動神經，而條件反射和無條件反射不同之處，就在於條件反射愈加訓練，運動就會愈快速。

從運動生理學來講，運動神經屬於末梢神經。末梢神經當中有知覺神經和運動神經，首先由耳朵、眼睛、皮膚等感覺器官，接受從外界來的各種不同的光線和聲音以及接觸的刺激，然後由各知覺神經傳到中樞神經，最後在瞬間內，中樞神經就下達命令給運動神經。

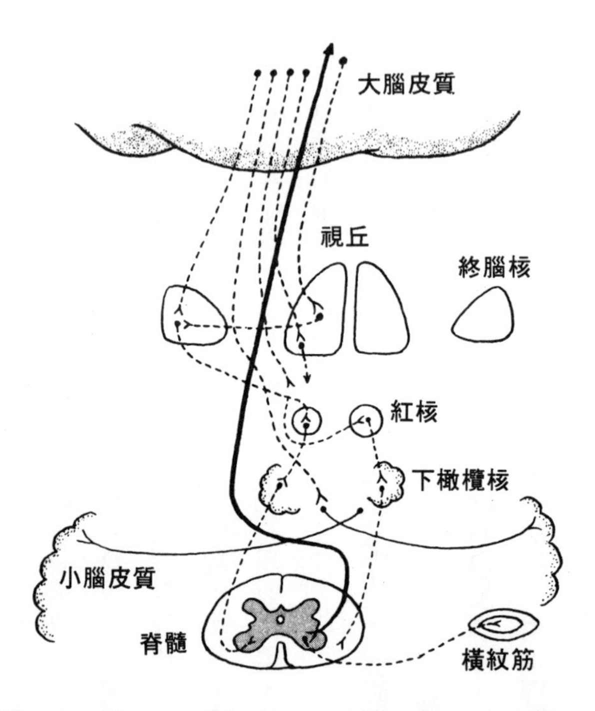

從散步中擬出構想

運動神經的經路分為錐體路和錐體外路兩個系統。

錐體路是由大腦運動的領域通過腦幹部和脊椎，然後傳到末梢，也就是因為在延髓錐體這地方形成一束後再通過，所以稱之為錐體路。錐體路透過人類的意志，可以控制運動的動作。

例如，舉手、投足和說話等等的肌肉運動，以及臉上的表情變化，錐體路都扮演著重要的角色。錐體路是人類最高級、最發達的運動神經，鳥類以下的低等動物是沒有的。

錐體外路則是大腦運動以外的運動領域，是在大腦以外的各部份，一邊連接，一邊延伸到脊髓的各部份。如果把錐體路當做主要幹線，那麼錐體外路就是支線，但是錐體路和錐體外路，兩者在解剖學上並沒有詳細的區別，事實上人在運動時，兩者是共同合作來做運動的，如此才能使肌肉的運動順利地進行。這也就是錐體外路系的功能。

如此說來，錐體外路並不是運動神經的主角，只是一個配角而已。但是一般人在日常生活中所做的動作，也只不過是一種配角的動作罷了，唯有那些朝著超越目標前進的運動選手，才能由配角變為主角。

不過不管主幹線如何地發達，如果支線做得不夠完善，那麼就無法讓每一站的顧客都坐上車。同樣地，錐體外路就如支線一樣，在完善的訓練之後，必須不斷地做準備工作，才能使運動變得更為靈活。

總之，在嚴厲的訓練之下，運動的反應會愈來愈敏銳，而且末梢神經到大腦，經過反覆地刺激，就會促使大腦更為活性化。各位讀者應該都會有在散步時偶爾產生靈感的經驗。由此，我們也可以了解僅僅是散步，對大腦也是一種很好的刺激，可使人產生好的構想。所以希望本篇能使每一位讀者，在走路甚至運動時訓練速讀的方式。

☆速讀時必須具備的四個基本原則

四個基本原則的整理

速讀時必須具備的基本原則究竟是什麼呢？這些在前面都已講過了，如果再稍微加以整理的話，那就是速讀必須保持瞑思的狀態（也就是要保持集中力）、擴大中心視、做右腦的速讀和培養速視力。

瞑思狀態

腦波又可分為 α 波、β 波、θ 波和 δ 波四大類，也就是說腦波是由這四種周波數所構成的，在人類的腦神經回路中有衝擊電流流動，因此可以處理更多更龐大的資訊，而引起衝擊電流振動的就是腦波，也就是由大腦神經細胞所產生的一種身體潛能。

δ波是在睡眠狀態中所產生的；θ波是迷糊狀態時的腦波；β波則是在面對工作時，或有擔心的事情時，為了應付外界的事物因緊張而產生的；另外，α波是在瞑思的狀態，或專心一致於某事的時候，也就是當身子保持於調和狀態時所產生的腦波。

根據過去對於腦波的研究發現，腦波呈現α波時，身心會放鬆，腦的活動最容易集中，而且當出現α波時，更可以發揮令人驚奇的腦力。

頭腦在非常清楚的情況下的腦波就是β波，並且以理智性的思考活動為優先考慮的對象，感覺性的思考活動則不被考慮。所以當腦波呈α波的狀態時，就可以提高感覺性的思考活動，使理智性的思考活動和優劣的差異消失，而提高直觀性的印象結構力。

要呈現α波的狀態，可以藉由瑜伽術、坐禪、丹田呼吸（腹部呼吸）等等來產生，另外，從一些運動或趣味性的活動中也會產生α波。簡單地說，除了集中力以外，還必須透過五官的反應和各種意識性的刺激才會產生。而速讀的進行則是以腦波呈α波時為第一個條件，所以要訓練速讀時，首先就要訓練瞑想的狀態。

擴大中心視

人類的視野，在視角的所有範圍內，會有許許多多不鮮明的影子進入，而在視野中所專心注視的部份事物就是中心視。視力一・〇的人，他的視角就有十度，如果距離東西的位置有五公尺遠時，其視力則約為〇・一左右。

視覺是五官中已發展到最高級的感覺系統，在空氣非常清新的地方，即使是相距一公里的遠距離，也能看得到像蠟燭光那樣的千分之一光源，而且還可以分辨出來其色系。

光線的刺激，就是以很強的感光度來刺激人類的眼睛，由角膜↓瞳孔↓水晶體↓內層（網膜），進而擴大到中心窩。因此藉著視幅擴大的訓練，就可以開發視網膜和房水功能，加強毛様體，促使中心視的擴大，伸展閱讀視野，也就是將閱讀視野擴大到讀書時能快速地閱讀。

所謂毛樣體就是圍繞在水晶體周圍的輪狀組織，具有敏銳的知覺。房水則是毛樣體和虹彩的分泌物，是充滿眼房的液體，它的成分為鹽份百分之〇・七、蛋白質百分之〇・〇二和約為百分之〇・〇一的葡萄糖。

這種眼球內的組織與成分，可以透過速讀的訓練和鍛鍊來予以強化。

記憶印象（透過右腦進行速讀）

人類可以以〇・一二五秒的時間來認識事物，一般性的讀書，一分鐘可讀四百八十個字左右，所以說不管如何提高速度，透過左腦對文字的直覺，一秒鐘也不過三十個字的速度，一分鐘則為一千八百個字至二千個字左右。但是，如果驅使語言中樞的左腦記憶，再透過影像做右腦記憶，在量上則可提高一萬倍以上，也就是說左腦的容量是有限的，但右腦卻是無限的，而且國字以象形文字為多，不似歐美的發音文字，所以右腦速讀是最適合的。

人類以〇〃一二五秒來認識事物的原理就好像電影中的膠捲，一秒鐘可放映出二十四個coma（鏡頭上的彗形像差），而三個coma形成一個像，也就是說一秒鐘就可形成八個像，如果一秒鐘除以八就等於〇・一二五秒，以這種速度放映是非常快速的。

透過右腦速讀可以培養直觀像的形成，鍛鍊對圖形的認識，提高映像的認識，並且加以完成。如前面所說過的，直觀像並不是一種回憶，而是常常會以繪畫、數字、表格的方式表現出來，據說受過速讀訓練的中小學生，在做試卷的解答時，腦海裡都會浮出畫像來，這也就是所謂的直觀像。

右腦速讀訓練的中心課題，就是鍛鍊對圖形的認識，提高對映像性的認識。根據史倍力的實驗顯示，人類的右腦具有高度能力，但左腦在非常短暫的〇・一秒時間內，雖然沒有任何的意識，對於事物的名稱、物與物之間的關係仍有所理解，文字或圖畫也可以在五分鐘後記憶。

人類眼睛的結構就像照相機一樣，在視網膜內的三次元空間可放映出二次元的映像，但是人類都將此解釋為三次元的空間，因此也可以將繪畫或照片視做為三次元空間。

或者把聲音當做樂譜，也就是將三次元性的印象做成文章化，再伴隨著感覺或感情上的印象，形成一種淡然的印象，或利用圖形、繪畫做為抽象化的形象，以上就是右腦速讀成立的主要條件。

速視力不要受到左腦的干涉

速視力就是能夠將一本書，以好像視一頁時的速度來速讀。

用左腦讀書，在每一單位時間內的數量是有限的，速讀就是指右腦速讀，而且右腦速讀不能受到左腦的干涉，這點是非常重要的，為了避免左腦的干涉，必須訓練無意識性的視讀速度，而且速視力要在〇・〇九秒以下。所以謂無意識性，就是指集中狀態之下的速讀訓練。

速視力也是需要訓練的。在初步階段由〇、二七秒開始，最後的目標則為〇・〇一秒。速讀就是要將一本書，在一分鐘之內反覆好幾次地視讀，使其記憶力更為加強。所以說，速視力是可以掌握速讀成功之鑰。

在這裡，為了要附帶說明老年人與年輕人其速讀方法上的差異，所以又將老年人的速讀法稱之為「神經細胞萎縮期的速讀法」。

根據心理學家基爾巴得（Gilbert）的研究指出，人類從二十五歲至六十五歲的這段期間，其記憶能力會平均下降百分之三十五左右。另外再根據資貝克和士貝爾克指出，人類的智能指數在二十歲至八十歲間約下降百分之二十。

也就是說到了老年，其理解能力並不會像記憶力那樣地大幅下降，針對這一點，對於成長期的學生和中年期的學生，其指導的方法就要因材施教了。

成長期的學生在基本上要「打鐵趁熱」，利用右腦速讀方法來開發能力，以強制性的力量來培育大腦或促進大腦是比較能顯現成效的，而對於那些生長已處停滯狀態的青年，則要比照成長期的標準來做訓練。

但是對於中年人的學生，除了要實施智慧的開發訓練外，還是要把重點擺在以理解力為主，訓練使其頭腦更為靈活。因此中年人的速讀方法，如果其效果要比傳統一般性的讀書快上二～三倍，就要以左腦視讀的方式為重點。

第四章　超速讀的訓練方法

速讀訓練的過程

・一行以八十分鐘為目標

㈠訓練姿勢

㈡基本訓練

⑴集中訓練

①丹田呼吸法（坐式呼吸法）——2分

②一點凝視法（固定點凝視法）——2分

③視點移動法——1分

⑵視幅擴大訓練

①上下左右移動法——1分

②上下視野確認法——1分

③自由移動法——1分

④視點移動法——1分

⑤圓的移動法——1分

㈢概括訓練

①圖形訓練

②映像訓練

③以概括訓練的方式閱讀

㈣速視力訓練

㈤廣角視野訓練

㈥超速視力訓練（動態視力）

㈦閱讀

①閱讀一分鐘

②字彙的記錄

③一氣呵成閱讀法

☆訓練的姿勢

開始訓練前，必須做準備體操，將頭部和肩膀輕輕地旋轉，以放鬆身體的緊張狀態。同時還要注意以下七點：

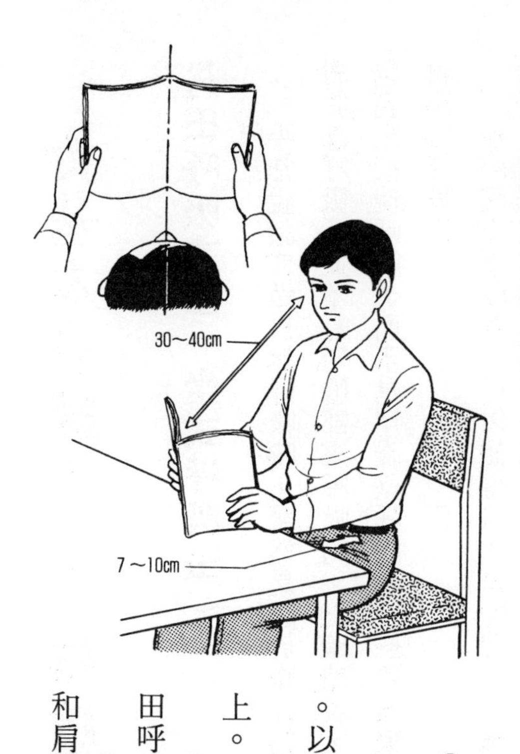

①淺坐在椅子上，不要深坐。

②桌子和身體距離約七〜十公分。

③背脊伸直，下顎微收。

④書和眼睛距離三十〜四十公分。以書的中心對著臉的中心。

⑤嘴巴緊閉，舌頭輕輕靠在上顎上。

⑥眼睛不要太用力，輕輕地做丹田呼吸或腹式呼吸。

⑦將整個身體放鬆，特別是頭部和肩膀。

☆基本訓練Ⅰ——持續培養集中能力

丹田呼吸方法（坐式呼吸法）

平常說話或做自然呼吸時，雖然是屬於胸部的呼吸，但主要還是以肺部為中心對腹部呼吸，並不是用胸部來呼吸的。正確地說，是巧妙地運用位於肺部下面的橫膈膜來行使呼吸，而不是用胸壁呼吸，一些聲樂家或演戲需要發聲練習的人，都是用腹部呼吸的。

橫膈膜上下收縮，可以使得自律神經受到刺激而更為靈活，並且可以促進內臟的作用，使血液的循環更好，然後再將充分的氧氣送到大腦。

普通呼吸一分鐘約十三至十八次，腹部呼吸比較慢，約七、八次，可以減少心臟的負擔，使身心維持在穩定的狀態。習慣做腹部呼吸的人，可以在丹田用力嘗試做丹田呼吸。丹田呼吸又可分為「臥式」、「坐式」和「立式」三種。這裡所指的是坐式呼吸法的訓練，每隔十八秒做一次呼吸的丹田呼吸。

〈呼吸的功效〉

雖然每個人的練習量有所不同，但從一個月到數個月一定會出現功效。當呼吸到最熱中的時候，上半身會發熱，而且熱會傳達到大腿或丹田。這就是丹田開始收縮的現象，以後只要每次呼氣就會感覺發熱，而且貫穿全身，這就表示呼吸的方式已經奏效了。

〈訓練的秘訣〉

・剛開始時，不受時間的限制，即使不到六秒鐘也無所謂，在一定的時間內吸氣、停止、呼氣，做反覆不斷的動作。呼吸時在腦海裡唸著一、二、三、四、五、六，慢慢地進行著，等習慣之後，即使不數數字，也可按照節奏來進行呼吸。

・有時間，每三十分鐘做一次，一天最好做數次，當疲倦或想睡時就不要做。

〈檢討〉

・即使不數一、二、三……也能自然地做。

・在做其他事情的時候，也能輕鬆自如地做腹部丹田呼吸。

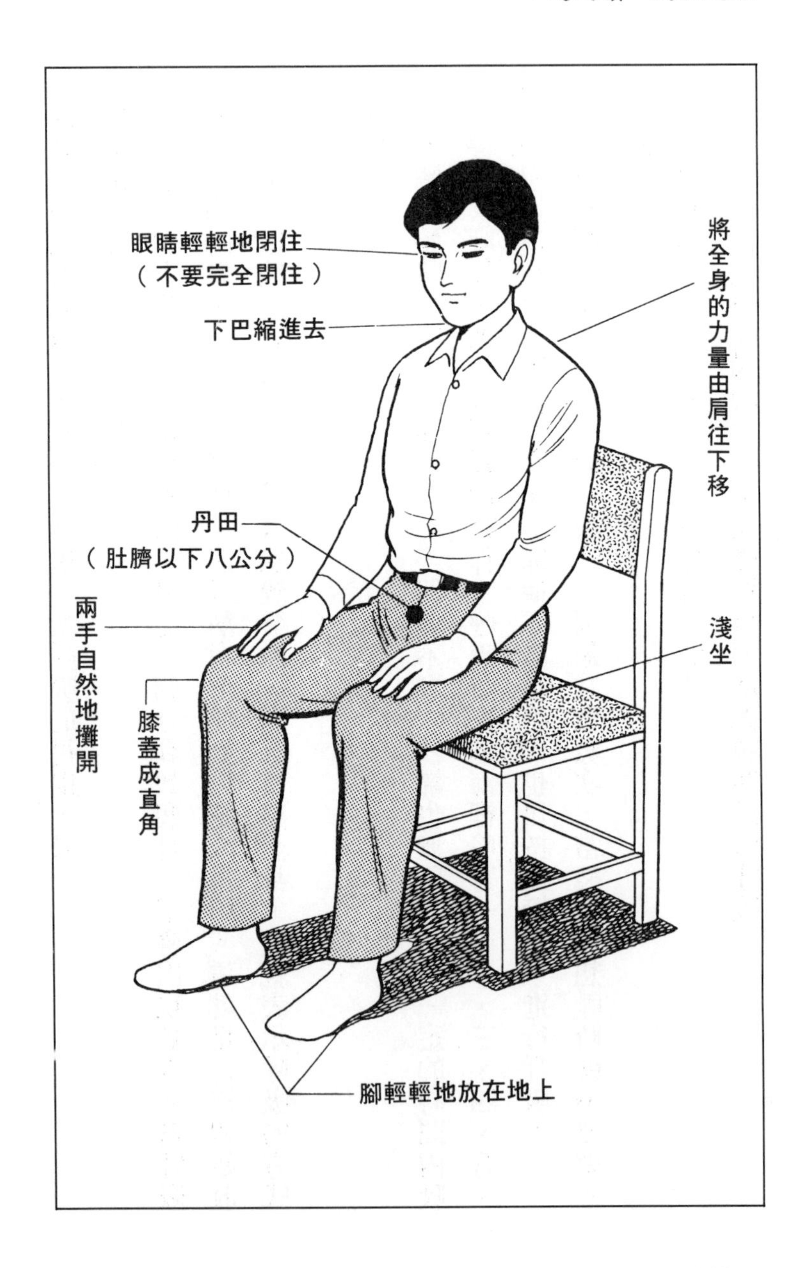
眼睛輕輕地閉住
（不要完全閉住）
下巴縮進去
將全身的力量由肩往下移
丹田
（肚臍以下八公分）
兩手自然地攤開
膝蓋成直角
淺坐
腳輕輕地放在地上

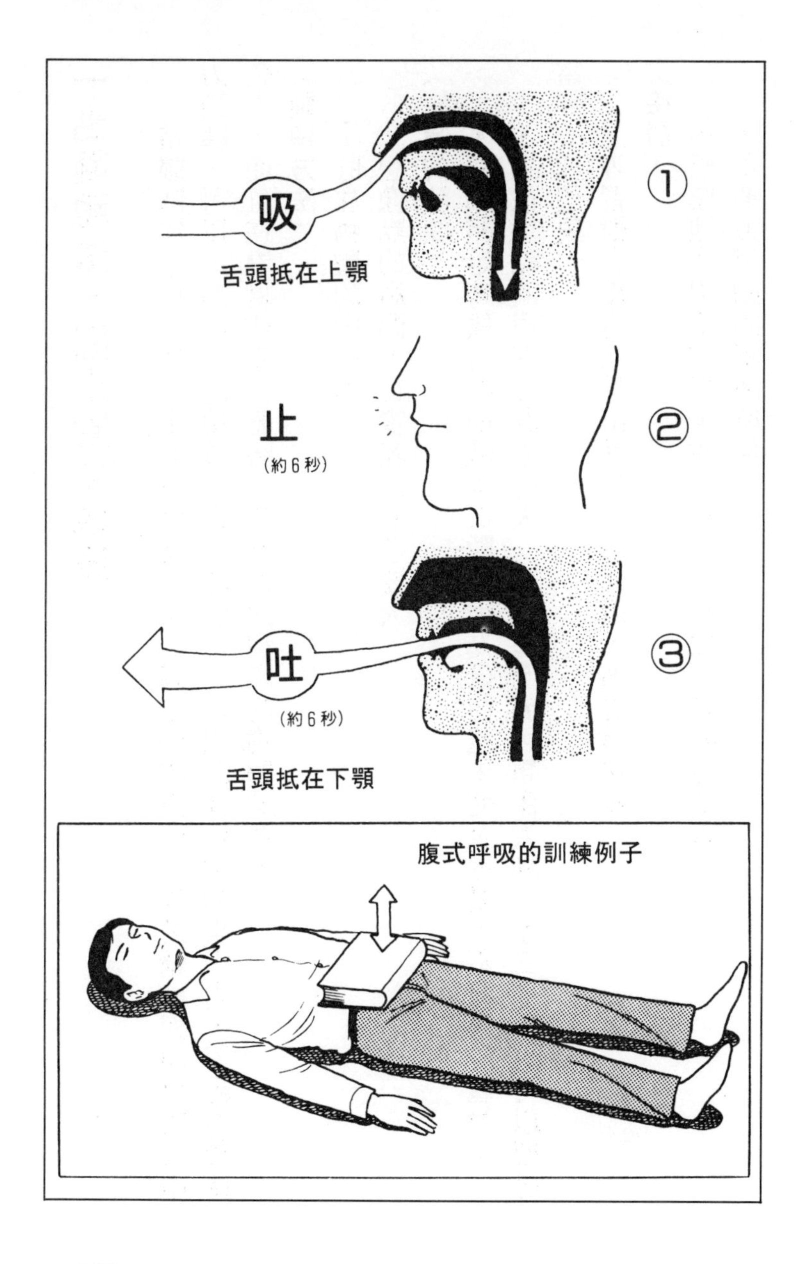
①
吸
舌頭抵在上顎
止
（約6秒）
②
③
吐
（約6秒）
舌頭抵在下顎
腹式呼吸的訓練例子

一點凝視法（固定點凝視法）

當眼睛牢牢地盯住固定的一點時，可提高心中的潛能，對於精神與視覺的集中力訓練，可以達到最大的功效。在短時間之內可以訓練精神的集中力，忍耐力和持久力，而且在看書或看物體時，會覺得比實際的物體還要大。

〈訓練方法〉

①盯住物體的中心點。

②想像點的周圍，比實際的圈還要大。

〈訓練的秘訣〉

・在剛開始時儘可能地減少次數。因為最初還未完全習慣，不要過於勉強。

・想像黑點的周圍比原來的大一圈，甚至於可想像大到二～三倍。也可以把這當作一種印象。

・等習慣之後再和丹田呼吸合併使用，則更具功效。

〈檢討〉

・輕鬆地注視第一點，並且想像這點比原來的還要大。

・不要被周圍的事情所擾亂。

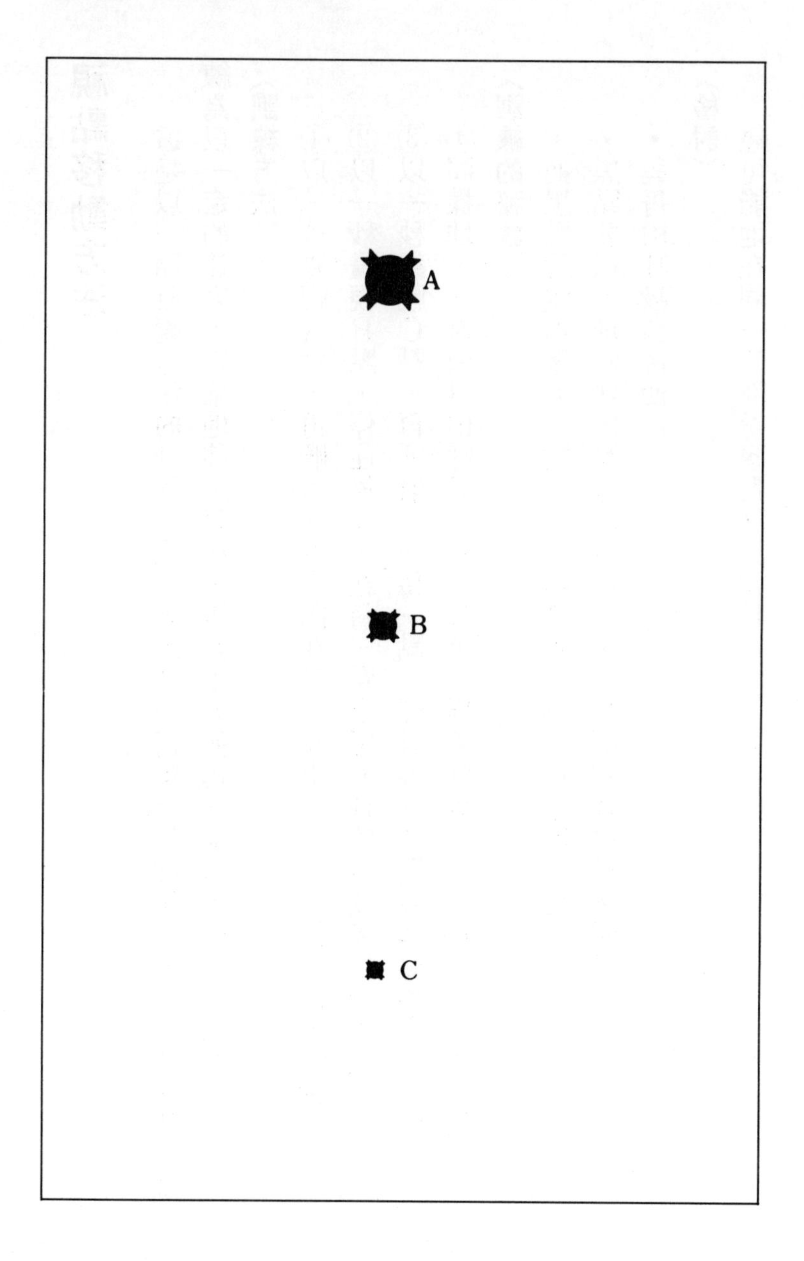
A
B
C

視點移動方法

這是以一點凝視方法的訓練方式，來訓練如何維持精神集中力的持久。此一訓練為以一定的速度，正確地移動眼球，培養出如何迅速地將焦點映入腦海中。

〈訓練方法〉

①以一秒鐘視A點，再順著箭頭方向在每一點上吸氣，五秒鐘後再移動視點。
②以一秒鐘視B點，停住氣後，在每一點上經五秒的時間後移動視點。
③以一秒鐘視C點，再呼氣，在每一點上經五秒的時間後移動視點。
④同樣地，一邊做丹田呼吸，一邊順著圓周移動視點。（每一周六十秒鐘）

〈訓練的秘訣〉

・把黑點看成稍微大一點，點線稍微粗一點，使之印象化。
・黑點要用力地盯住，點線則可放鬆，並且順利地移動到視點上。
・與丹田呼吸合併使用。

〈檢討〉

儘可能地在同一個部份學習移動視點。

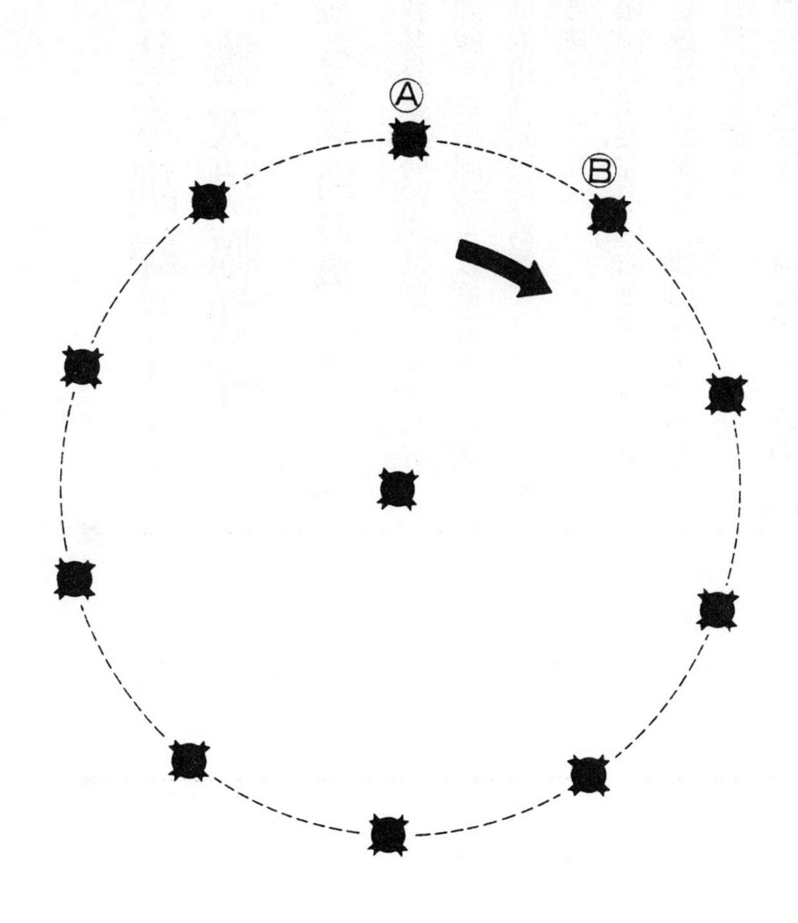

☆基本訓練Ⅱ——擴大視幅訓練

上下左右的移動方法

將教材放在臉的正面位置，進行左右的移動訓練。這個訓練可以擴展左右的視野，使你能迅速閱讀橫寫的文章。

〈訓練方法〉

①根據箭頭從左上往右上的方向，順著實線迅速地移動視點（虛線的部份不需要太過於用力去視）。

②從右上到點線上，視點移到中段的

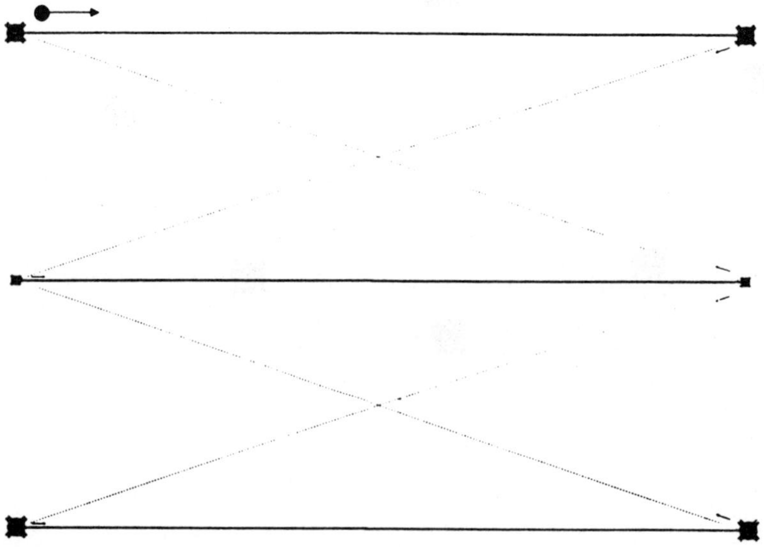

虛線上。

③同樣的，將視點移到中段的右側，然後再移到虛線的部位。

④到右下側後，反而從右下往左中段爬昇。

⑤以同樣的動作反覆地做幾次。

〈訓練的秘訣〉

・注視的時候是左上、右上、左中、右中、左下、右下合計共六點，其間的黑線和虛線就是視點的路線，不要一路沿著線牢牢地視，而是慢慢地往下一點移動視點，在剛開始不要太勉強自己必須很快速，以漸次加快速度來移動眼睛就可以了。

・如果一開始就勉強自己必須快速，會使頭部左右擺動，也就是說沒有用力使眼睛移動，這樣就和後面要做的訓練相同了。

〈檢討〉

・從左上到右下地朝下移動視點，從右下到左上地往上移動視點，分別在一～二秒內完成。

・從左上到右下來回往返約一秒就可完成（普通人在完成八十分鐘訓練後，就可能做二～三回）。

・在瞬間就可完成一連串的視點移動。

上下視野的確認方法

這個訓練主要是訓練能快速閱讀縱寫的文章。在日常生活中，通常閱讀橫寫比縱寫的文章，所給眼睛的壓力較輕，但是一般以國字為主的文章縱寫的較多，如果能稍微訓練一下縱寫的閱讀方式，也能和閱讀橫寫的一樣，減輕對眼睛的負擔。

〈訓練方法〉

①臉部不要動，首先盯住A點，其次同時視上下的B點，再同時視上下的C點。從A點到上下B點、上下C點，反覆不斷地移動視點。

②在剛開始訓練時，一行為一分鐘，儘可能地愈快愈好。

③一行的訓練完成之後再同時視兩行，以第②的方式進行。

④兩行的訓練完成之後，再做一頁的整體訓練。

〈訓練的秘訣〉

・將眼睛的柔軟性活用到最大的限度，心理要意識著以擴充上下的視野為要點。

・剛開始時就同時將上下的C點具體化，並且印入眼裡，不管多少視點，即使是上下的關係也無所謂。總而言之，不論上或下的點都必須同時印入眼裡，而且反覆地做。經過幾次的訓練後就會覺得很輕鬆，而且可以上下同時捕捉。

〈檢討〉

・對於一行的訓練，都能很輕易地做到。

・兩行的訓練也可輕易地完成。

・感覺上好像整頁都看得見。

・可以將整頁一目瞭然。

對於兒童的訓練，只要經過兩、三次的八十分鐘訓練，就可熟練了。但是三、四十歲的人則要多幾遍，大約七、八次就可完成訓練了。

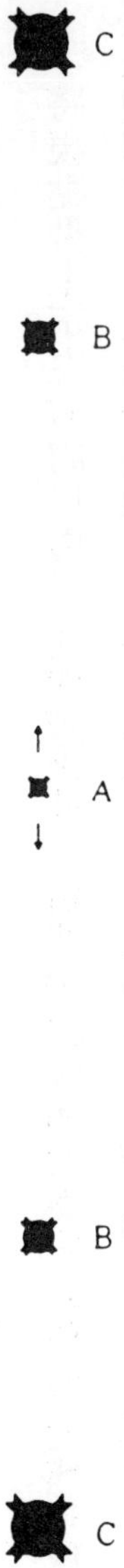

C

B

A

B

C

自由移動方法

將視點做上下左右的自由自在擺動訓練，這個訓練就如前面所介紹的兩種訓練方法的總輯。要能夠平均地移動眼睛的肌肉，將視幅擴大才能得到最大的效果。

〈訓練方法〉

①從星星的頂點沿著箭頭，以一筆劃下來的要領，來促使視點移動。

②能夠儘量地持續。

〈訓練的秘訣〉

・剛開始時要慢慢地，不要太過於快速，直到臉不會晃動的時候，才儘可能地快速移動眼睛。

〈檢討〉

・第一次訓練時，一分鐘約做三十次左右。
・第二次訓練時，一分鐘約做四十次左右。
・第三次訓練時，一分鐘約做六十次左右。

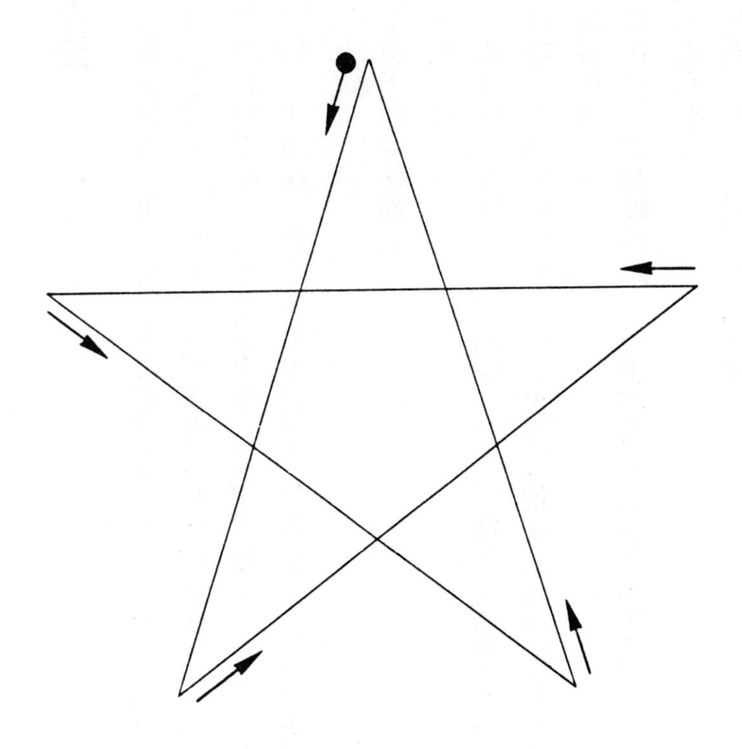

視點移動方法

這是一種將書本攤開，用眼睛一次將兩頁看完的訓練。從右頁到左頁的視線運動必須非常順暢，特別是左眼的視點對右腦會有直接的影響。因此左眼視點的主導權，必須發揮到最大的限度（但並不是全部只使用左眼）。如果是想要訓練閱讀橫式文章，也可以利用此訓練，將之反過來訓練，也就是從上往下順著曲線來做訓練。

〈訓練方法〉

①從右到左順著曲線移動視點。

②第二次要加快速度。

③再一次反覆地緩慢進行第①的訓練，其次以第②的速度來移動視線。從右端順著線將視點移動，來到左端後畫個圓，再緩緩地回到原來的右端。在一分鐘內儘可能快速流利地移動視點。

④把視點放在右端的曲線中心，一邊將右上端映入視線內，並一邊從右到左將視點以水平的方面移動。

⑤以上只是在一分鐘之內的反覆訓練。

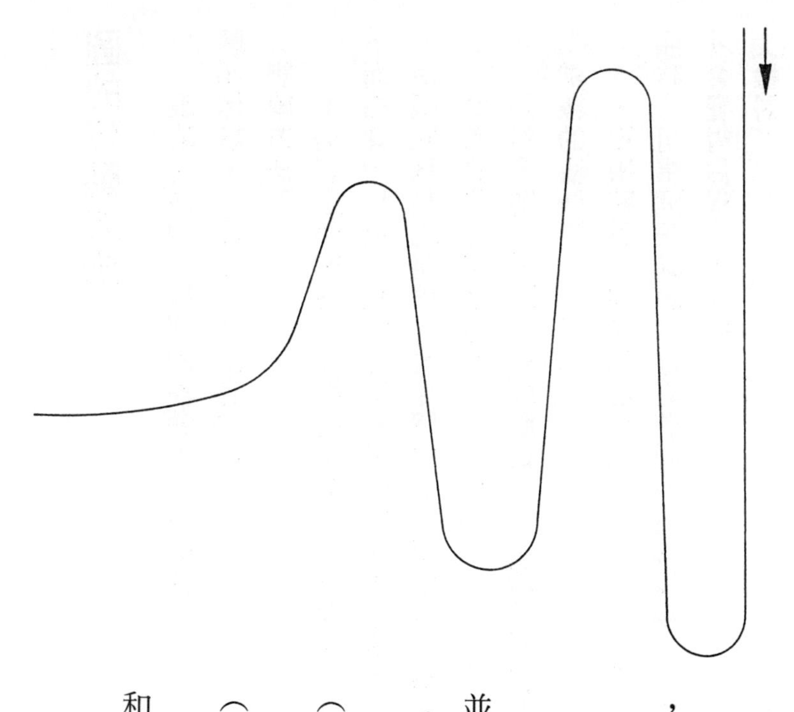

〈訓練的秘訣〉

・實際上書本的文字是並列的，所以訓練時必須想像並列的情況。

・頭部不要左右地晃動。

・一邊做腹部呼吸。

・偶爾將視點由左到右移動，並反覆地加以訓練。

〈檢討〉

・從右上到左下視〇・八秒（一～二次）。

・從右上到左下視〇・四秒（通常以三～四次就可以了）。

・要將曲線的彎曲看得非常緩和（以這樣的程度就可以了）。

・將曲線視為直線。

圓的移動方法

眼睛的移動，以圓的移動方法為最後一點，這個練習可以恢復眼睛的疲勞，使腦部休息，並且使眼睛富有柔軟性。

〈訓練方法〉

①沿著上面的圓，以順時鐘的方向移動視點，來到與下面圓的接點後，再沿著下面的圓，以逆時鐘的方向移動視點，再順著箭頭的方向回到上面圓的頂點。總之，使視點移動的路線，就像阿拉伯數字的８一樣。

②首先張開眼睛進行約三十秒鐘。

③然後閉上眼睛，在頭腦假設畫出同樣的兩個圓，也是反覆不斷地進行三十秒。

〈訓練的秘訣〉

・以眼睛看圓訓練時必須很順暢，當閉上眼睛進行時，圓如果不確實而覺得彎曲時，可張開眼睛實際地對著圓反覆訓練兩、三次，再閉上眼睛畫出假設的圓時，就會覺得做得比上次好。

〈檢討〉

①以〇・八秒的時間畫一次8字。

②以〇・三秒的時間畫同樣的8字。

③閉上眼睛不考慮速度畫一個圓。

④在瞬間移動視點；並畫出一個假設的圓。

任何的一種訓練都要在一分鐘內，而且每次要以比前次稍快的速度去「視讀」。特別是大人在十次的訓練當中，如果都以同樣的速度與方式來移動眼睛，是訓練不起來的，必須每天至少有一次以稍快速的時間來移動眼睛。一定要用心地學習和訓練，如果一直滿足於現狀的話，是永遠都不會進步的。

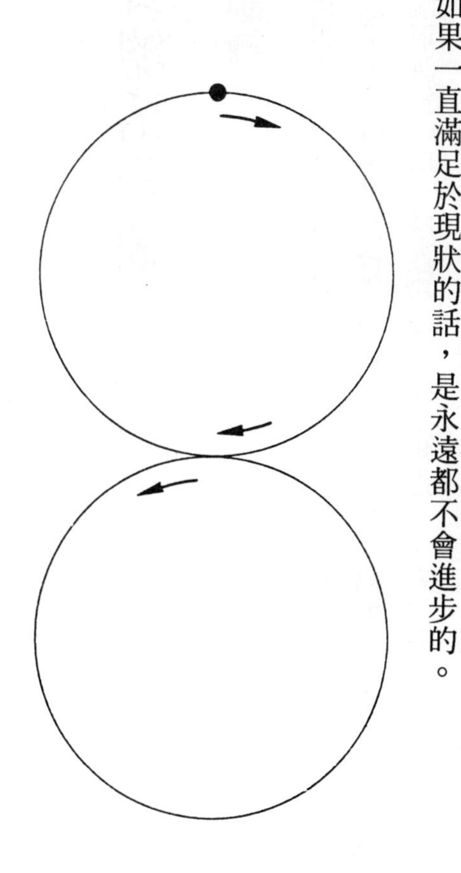

☆總括訓練

準備訓練

利用書本做準備訓練，首先做「圖形訓練」和「映像訓練」。以這種訓練方式不但可以擴大視野，從訓練當中還可以學習到閱讀的能力。在實際的訓練當中，可以將「圖形訓練」與「映像訓練」交互地進行，當「圖形訓練」的第一階段達到標準後，就做「映像訓練」的第一階段，然後再進入「圖形訓練」的第二階段，以一分鐘為單位來持續訓練視讀，如此就可以了解到「視」就是「讀」。

圖形訓練

文字與畫是不同的，它們都是沒有任何意義的記號，從視幅擴大訓練中，就可以了解視點移動時眼睛的變化，然後再不斷地視。此訓練分為「第一階段」到「第七階段」，要確定自己到達某種能力後，才能向前做訓練，這是非常重要的訣竅。

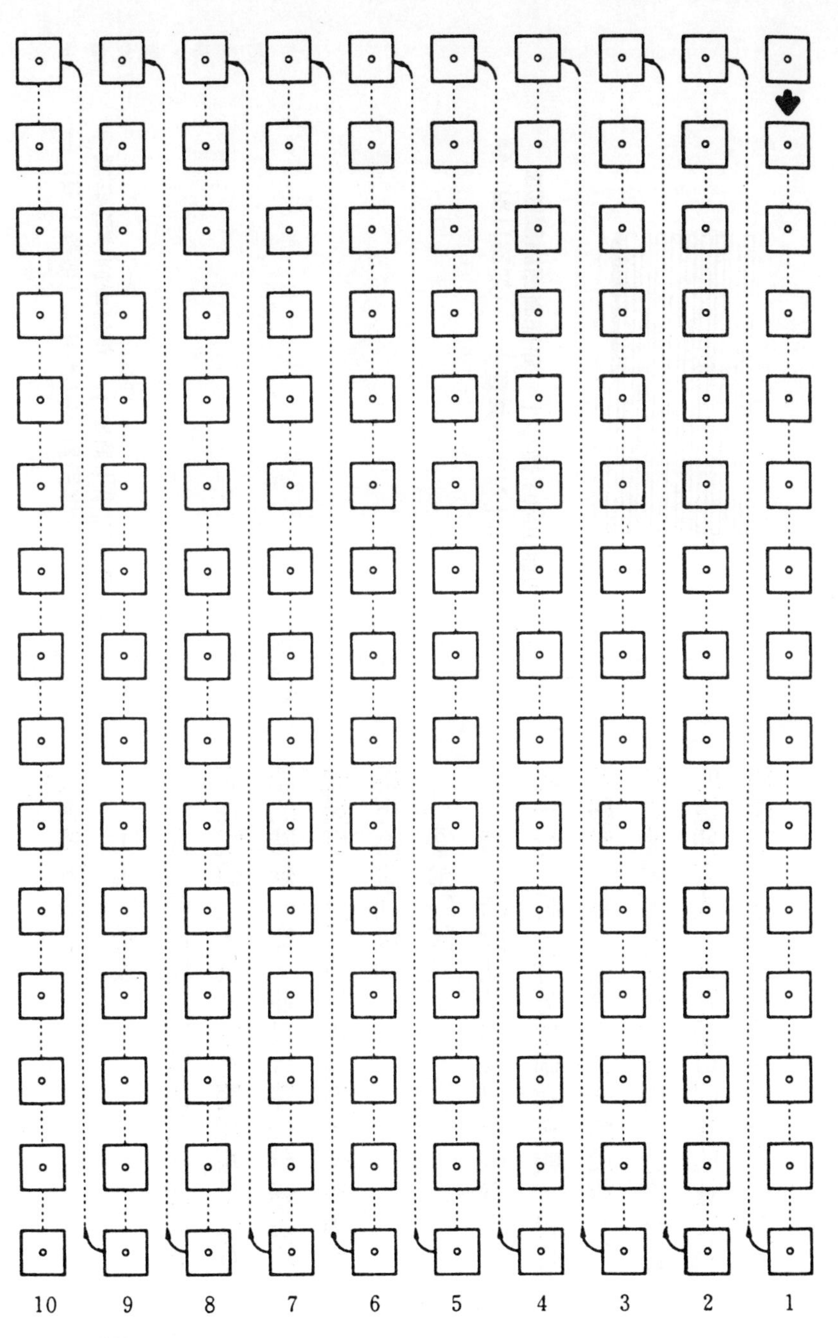
10
9
8
7
6
5
4
3
2
1

①〈第一階段〉　不要停止視記號⊡
再檢討是否有進步　一分鐘一千兩百個

②〈第二階段〉　一眼視二分之一行
再檢討是否有進步　一分鐘一千五百個

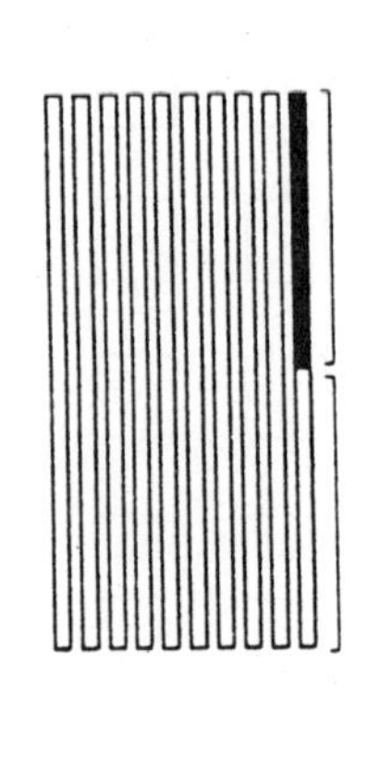

〈訓練方法〉

①第一階段

在初開始時不要將每個⊡記號固定在視線上，就好像在閱讀報紙或雜誌的時候一樣，並且計算一分鐘可以視幾個，然後再增加速度，使視讀變得更為流利快速。

②第二階段

第二階段就是訓練以一眼看二分之一行。將一行分做兩次來視，再逐漸移動視點。但是以第一階段視一行時的速度，分成兩次來視二分之一行的這種方式，就好像以同樣的速度將兩個二分之一行形成一行視之一樣。

〈第三階段〉一眼視一行
再檢討是否有進步　一分鐘一千八百個

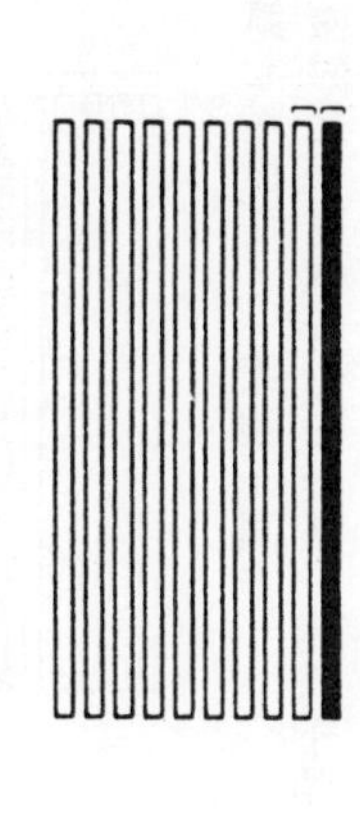

〈第四階段〉一眼視兩行
再檢討是否有進步　一分鐘三千六百個

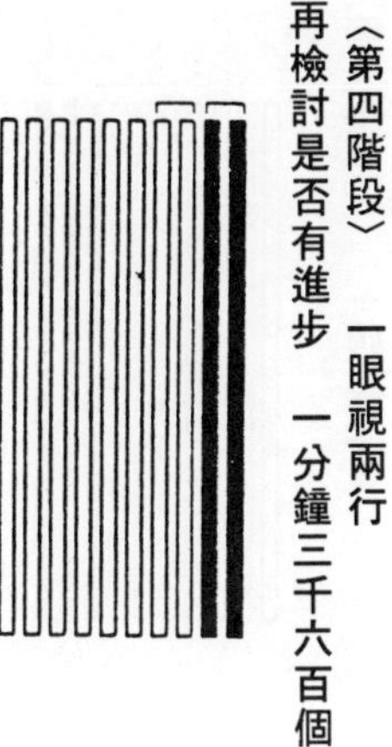

③第三階段

在這裡以一眼來視一行，首先要上下移動視線視一行，這種方式與第一階段是不同的。在最初階段時，許多人都會很確實地去盯住一行後再換下一行，但是事實上，一行份量的長度記號，就等於一本書，所以一行一行地視，就是眼睛在移動視點。

剛開始時無法看到一行的上下，但是在視的範圍內，可以移動視點。

④第四、第五階段

開始以兩行、三行一起閱讀時，常會因為該在那裡區分而引起混淆，這時如果是讀兩行的話，那麼一頁十

〈第五階段〉一眼視三行
再檢討是否有進步　一分鐘五千四百個

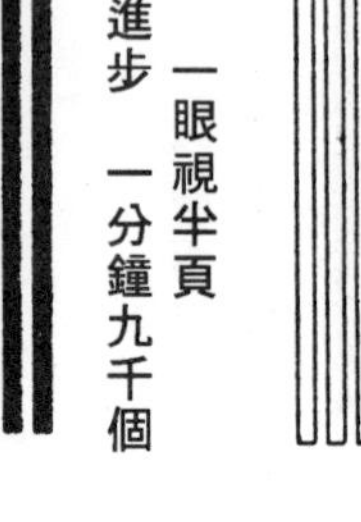

〈第六階段〉一眼視半頁
再檢討是否有進步　一分鐘九千個

〈第七階段〉一眼視一頁
再檢討是否有進步　一分鐘一萬八千個

行的情況，就可分為五次，如果讀三行，就可分為三次，要大膽地去視。

在持續的訓練當中，自然地去閱讀兩行或三行，或者在腦海中浮現三行去視之，但剛開始時，最好不要被侷限住。

⑤第六階段

閱讀五行（半頁），可以將一頁分為兩半來視，靠邊的地方雖沒有清楚的視到也沒有關係，儘可能在快速的情況下把半頁視完。

⑥第七階段

可以將整頁映入眼簾中，也就是可以一目瞭然了。到這個階段時，如果左手無法快速地翻書時，也無法達到標準，所以兩者的訓練同等重要。

〈眼睛疲倦的時候……〉晴明穴的指壓法

當眼睛疲倦時，強勁有力地搗住「晴明穴」（如圖），能消除疲勞。

〈方法〉

兩眼輕輕地閉住，再使用中指和食指遮住上眼瞼和下眼瞼，並放鬆指尖的力量左右揉動眼睛，不要太過於用力，大約揉三十次左右。

其次再將手指頭輕輕地放在眼前周圍，讓眼球旋轉約五、六次，再輕輕放開手指頭，輕輕張開眼睛。

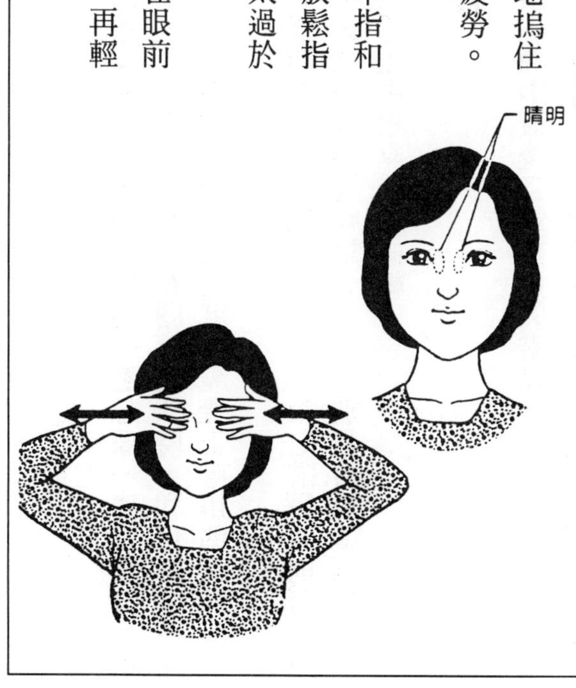

映像訓練

映像訓練就是被文字或形象的意義所左右，在這時要一邊想像一邊來視讀，但最主要的是在視讀時，如何將字都映入眼裡，尤其是在閱讀文章時，利用左腦將之聲音化，反覆地閱讀內容，再利用右腦做成映像，這也就是視覺上應用的訓練。

〈訓練方法〉

從第一階段到第六階段，與「圖形訓練」是完全相同的。第七階段時則可分為十二行或十三行兩種方法來視讀。第八階段時則視讀一頁。特別是當視讀兩行、三行、五行時，因為特別困難，所以必須做重點式的訓練。

以總括訓練的方式來閱讀

圖形訓練、映像訓練，是視讀訓練中最後且最重要的階段。

從圖形訓練的最初一頁開始，到映像訓練的最後頁結束，將每一分鐘可視多少次做一個記錄。通常一分鐘可以視五次以上時，就表示即將進入閱讀書籍的階段，但要儘可能地訓練在一分鐘之內能閱讀到十次以上。而且在實際閱讀書籍之前，也需要做基本訓練，等進入閱讀書籍後，以一分鐘能閱讀五十次以上為標準。

公公ハムオ駅駅[illegible]八エ植植木直ウ息息自心イ秋秋禾火ア
公公ハムオ駅駅[illegible]八エ植植木直ウ息息自心イ秋秋禾火ア
公公ハムオ駅駅[illegible]八エ植植木直ウ息息自心イ秋秋禾火ア
公公ハムオ駅駅[illegible]八エ植植木直ウ息息自心イ秋秋禾火ア
公公ハムオ駅駅[illegible]八エ植植木直ウ息息自心イ秋秋禾火ア
公公ハムオ駅駅[illegible]八エ植植木直ウ息息自心イ秋秋禾火ア
公公ハムオ駅駅[illegible]八エ植植木直ウ息息自心イ秋秋禾火ア
公公ハムオ駅駅[illegible]八エ植植木直ウ息息自心イ秋秋禾火ア
公公ハムオ駅駅[illegible]八エ植植木直ウ息息自心イ秋秋禾火ア
公公ハムオ駅駅[illegible]八エ植植木直ウ息息自心イ秋秋禾火ア
公公ハムオ駅駅[illegible]八エ植植木直ウ息息自心イ秋秋禾火ア
公公ハムオ駅駅[illegible]八エ植植木直ウ息息自心イ秋秋禾火ア
公公ハムオ駅駅[illegible]八エ植植木直ウ息息自心イ秋秋禾火ア
公公ハムオ駅駅[illegible]八エ植植木直ウ息息自心イ秋秋禾火ア
公公ハムオ駅駅[illegible]八エ植植木直ウ息息自心イ秋秋禾火ア
公公ハムオ駅駅[illegible]八エ植植木直ウ息息自心イ秋秋禾火ア
公公ハムオ駅駅[illegible]八エ植植木直ウ息息自心イ秋秋禾火ア
公公ハムオ駅駅[illegible]八エ植植木直ウ息息自心イ秋秋禾火ア
公公ハムオ駅駅[illegible]八エ植植木直ウ息息自心イ秋秋禾火ア
公公ハムオ駅駅[illegible]八エ植植木直ウ息息自心イ秋秋禾火ア
公公ハムオ駅駅[illegible]八エ植植木直ウ息息自心イ秋秋禾火ア
公公ハムオ駅駅[illegible]八エ植植木直ウ息息自心イ秋秋禾火ア
公公ハムオ駅駅[illegible]八エ植植木直ウ息息自心イ秋秋禾火ア
公公ハムオ駅駅[illegible]八エ植植木直ウ息息自心イ秋秋禾火ア
公公ハムオ駅駅[illegible]八エ植植木直ウ息息自心イ秋秋禾火ア
公公ハムオ駅駅[illegible]八エ植植木直ウ息息自心イ秋秋禾火ア
公公ハムオ駅駅[illegible]八エ植植木直ウ息息自心イ秋秋禾火ア
公公ハムオ駅駅[illegible]八エ植植木直ウ息息自心イ秋秋禾火ア
公公ハムオ駅駅[illegible]八エ植植木直ウ息息自心イ秋秋禾火ア
公公ハムオ駅駅[illegible]八エ植植木直ウ息息自心イ秋秋禾火ア

25 20 15 10 5 1

☆速視力的訓練

速視力訓練主要目的，就是瞬間把握住內容。其訓練的教材要能左右交替，由上往下、由下往上地出現文字，並將這些文字確實快速地映入眼裡。利用擴大視幅的訓練可以加速眼睛的轉動，以這種方法來訓練速視力，也會促使速視力加強。

〈訓練方法〉

①左手翻書，眼睛視各頁所出現的文字。

②視到最後時，由後往前再視一次。

③剛開始慢慢地，然後逐漸加快速度，到能瞬間視完。

〈訓練的秘訣〉

・頭部不要擺動，只讓眼球流利地轉動著。

・進入閱讀書本時，一分鐘最好能視二十次以上。

訓練的結果，如果能在〇・〇九秒～〇・〇一秒將文字視進去，就表示其速視力具備有開發的潛能。

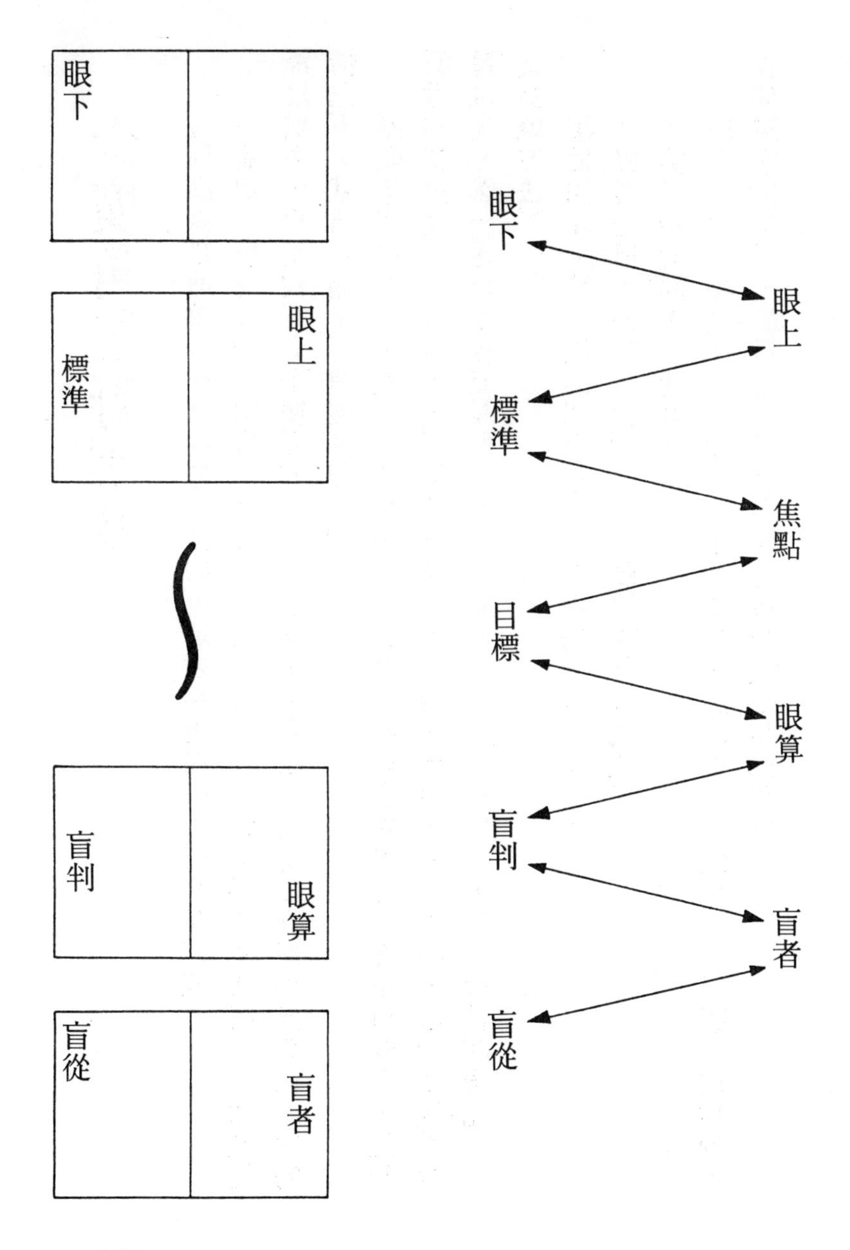
眼下
標準
眼上
盲判
眼算
盲從
盲者
眼下
眼上
標準
焦點
目標
眼算
盲判
盲者
盲從

☆廣角視野訓練

這種訓練是速讀訓練當中最困難的，是強制視幅擴大的訓練方式。

在最初，每一頁中只出現一個文字，緊接著下一頁的文字稀稀疏疏的，然後逐漸地增多，直到視野必須擴展到外側，這種訓練方法，就是要訓練到能夠在一次的情況下，就將畫面全部捕捉到視野裡。

剛開始四邊的文字或許不能完全映入眼裡，所以會覺得好像都沒有視到，這時所做的刺激就完全白費，為了要使訓練具有意義和效果，在視讀時就必須反覆地練習幾次，然後逐漸地擴充視野，使一頁能在○・○九秒到○・○一秒就閱讀完。

〈**訓練方法**〉

①使用左手快速地翻開頁數，然後視每一頁的文字。

②慢慢地擴大視野，直到能以一眼擴視全部的文字。

③儘可能使翻書的速度增快。

以上任何一項訓練，只要習慣了就不會太過於費力，眼睛也可以輕鬆地轉動，並掌握住文字了，最重要的是必須像在遊戲般地轉動眼睛。

緊張是因為精神方面過於「集中」所致，所以眼睛和肩膀，必須經常保持輕鬆，以緩和的狀態來進行。

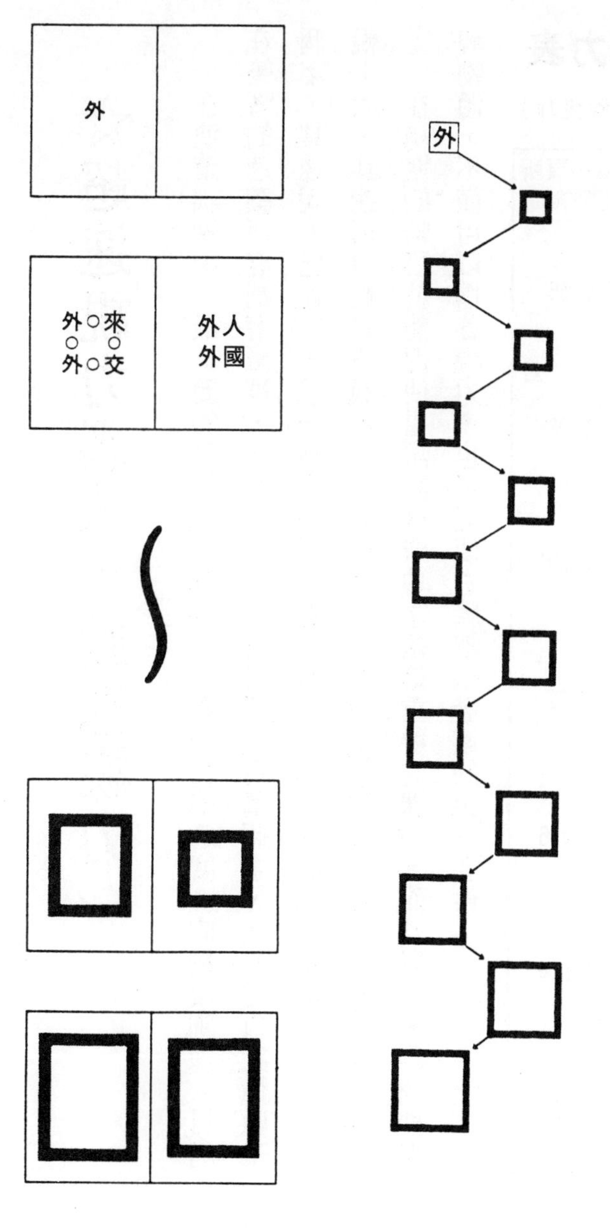

☆超速視力訓練（動態視力）

在速讀訓練中，最重要的就是人的速視力（看一頁的速度）的最後訓練。目前在筆者的速讀研究補習班裡，有的學生一分鐘可看兩百萬個字，而且可以記憶數千個字，其速視力已在○・○一秒左右了。在一百三十六頁的訓練教材中，以一分鐘視十次，其速視力也只不過○・○五秒而已，當然，也可以比這個數字還要快一些。

在初期的階段就能促使這項訓練成功才是最重要的課題，而且以○・○一秒來視物體，不僅可以培養視力，也是促使右腦細胞發達的第一要件。

超速視力表

（動態視力）

一分鐘看幾次	每一頁所花費的時間
10	0.05
15	0.03
20	0.025
25	0.02
30	0.016
35	0.014
50	0.01

☆閱　讀

進入閱讀的階段

要逐漸進入閱讀的階段了。在進入本文之前，先來看看封面，把書的標題和封面上的畫在瞬間視過，並留下印象，這主要是要培養一個人的判斷力和直觀力。然後再緩緩地視標題和畫，並將書的內容做為自己的印象，對於書本內容的說明文也以一行或兩行的方式去閱讀，如果能夠變成自己的印象，並想像書本的內容，就可以真正地進入閱讀書中的內容了。

一分鐘的閱讀

在剛開始時，並不是一次閱讀全册，而是分成一半左右來閱讀。

例如「咖哩飯對人體的影響」一書（文字數是三千三百五十個字），閱讀時，就將第一頁到第三十三頁，和第三十四頁到最後一頁，分為兩次。首先從第一頁到第三十三頁為止，在一分鐘內反覆幾次地來視讀，有插圖的那一頁就不要去閱讀，以右到左的方式用左拇指翻書，並非常迅速且有節奏性地視讀到三十三頁，然後再從第三十三頁反過來回到第一頁，在一分鐘之內反覆地進行。

字彙的記錄

過了一分鐘之後，將書闔起來，嘗試著將保存在記憶裡的字彙寫出來，不管是名詞、形容詞或動詞都無所謂，就當作是單字，儘可能地寫出來。剛開始時不可能全部都記在腦海裡，因此可以參考插圖增加印象，如果沒什麼把握，也可以以「似曾相識」的情形隨便寫出來。最初，不管是大人或小孩也許都只能寫出五、六個字彙而已，而一般的標準，以每次能寫出二十個以上的字彙，才能進入後半的階段。

後半段就是從第三十四頁到最後一頁止，同樣地，也是閱讀一分鐘後再寫出字彙。連著前半部繼續地閱讀，如果確定這字彙在前後半段都出現過，也可以將此字彙寫下來，但如果像主角的名字屢次出現的話，就不要再重複寫了。

〔在第一次寫不出二十個以上的字彙時〕

在這種情況之下，可以再做同樣的一分鐘閱讀，然後再寫出與前次不同的字彙，最好不要使同樣的字彙重複出現，如果兩次寫出來的字彙合計起來還不到二十個，那只有再閱讀一次了。

字彙的記錄和寫出來的形態變化

在寫出字彙的初步階段，都是以相當大的文字寫出，但是愈熟練，速度就會愈快，而且為了寫得更多，其思考的速度就會使字彙的文字形態產生如下的變化，適中文字↓小文字↓微小文字↓極小文字↓棒線文字↓點線文字。

擴大視點的學生對文字形態變化中的極小文字，比較容易看，也容易寫，但對於一般人來說，如果不使用擴大鏡的話就看不見。在這個階段的學生，約可以記憶四千個字彙，而且可以寫出來，寫出的時間為兩百七十分鐘，也就是一秒鐘可寫出一個字。

另外到了高級程度的學生，寫出來的字彙就會變成棒線文字、點線文字，這是一種速記的記號，只是有時連學生本身也看不懂，但是在左腦中所記憶的字彙可以銘記下來，並且以棒線文字、點線文字表現出來，因為閱讀時右腦會逐漸地浮現出象形文字，然後再正確地將文字表現出來，但因為這種方式比較困難且費時間，所以就用記號性的方式表現。

也就是說，要在六十分鐘內表現出所記憶的一萬三千個至一萬八千個字彙，但不管速度多快，從大腦的運動神經傳到手的運動至少也要花〇‧〇八秒，雖然左腦在一秒鐘能容納三十個字彙，但是再透過手寫出來，一秒鐘內的最高記錄也只有十三個字。據說右腦的記憶是無限量的，從右腦到左腦的這種銘記，是屬於右腦速讀的方式，所以說右腦的開發是具有可塑性的。

一氣呵成的閱讀法

最後的訓練階段，就是從第一頁到最後一頁的一氣呵成閱讀法，首先計算視整本書需要花多少秒，如果需要三十秒的話，就以三千三百五十個字除以三十秒再乘以六十秒（3350字÷30秒×60秒），如此就可以計算出一分鐘的速度了。

在第一册書就能寫出二十個字以上的人，不管是大人或小孩都是非常少有的，因此筆者的速讀研究補習班，就以訓練可以寫出二十個字彙為標準。

在持續做閱讀的訓練當中，如果在前後半段都能寫出三十個字彙的話，那麼就不要再分做兩次來進行了，只利用一分鐘的時間就將整本書視完，並且將所視的字彙寫出來。

筆著的速讀研究補習班，目前每次上課都是訓練三本書，等習慣了之後就增加到五本左右。一般的情形是兒童為五、六本，大人為八本左右，並且都分做前後兩半來閱讀。在這個時候如果使用中心視來視書，就會有很多人在一頁中只能記下一個字而已，也就是在視的瞬間，理解的視野還是非常狹窄所致。

為了擴充中心視，除了要做視幅的擴大訓練，也必須快速正確地做圖形訓練和映像訓練，在教材中所列出的一些訓練速度的標準，只是在進入閱讀書本前的最低限度，在各階段中儘可能地能以最快速和最正確的方法來加以訓練。

〔平常的讀書方式〕

從現在起，嘗試著改變你平常的讀書方法，但是對於比較困難的書，以目前的階段也許還無法掌握住真正的內容要義，每一行中以一眼視之，並且儘可能地達到理解的程度，不管是三分之一行或四分之一行，最重要的是不要再採取過去的閱讀方法，必須養成迅速的閱讀方法，像報紙或雜誌的每一行都很短，所以每一行都只要橫掃過去就可以了，剛開始也許很困難，但很快就會習慣了。而且在補習班學習後，回家也務必要這麼做才會有效。

目標最終值（最終目標）

最終目標就是在圖形訓練的第一階段時，一分鐘要能閱讀三千六百個字左右；在概括訓練的一氣呵成閱讀情況下，儘可能地在一分鐘閱讀五十次以上；映像訓練則是一次閱讀二、三、五行，千萬要記住，即使很困難也必須掌握住其正確性。

不要把一本書分成兩半來閱讀，要一氣呵成，一口氣視完，然後再將所記住的字彙寫出來，記住的文字數必須以達到百分之一為目標。

例如，文字數是五千四百的書，就一定要寫出五十四個字彙來，如果做不到的話，就再以一分鐘的時間閱讀一次，而且必須寫出與第一次所寫的不同的字。剛開始時以童話系列的書，或有加入插圖的書比較容易理解，但漸漸地插圖要減少，也要插入故事情節，因為這樣做起來比較困難，所以必須仰賴平常的基礎訓練。

隨著訓練的次數，可以看出一分鐘速讀量的增加變化

次數	字彙數
5	20,000
10	50,000
20	150,000
30	350,000

達到最低標準

- 閱讀一分鐘的速度是四十五萬個字
- 理解程度為百分之七十
- 寫出的字彙數是五百個字

☆特殊的閱讀方法

閱讀『為兒童所編的世界童話名著』時

也許很多讀者在兒童時期就已經閱讀過這些童話故事了，但是，如果沒有真正地去閱讀，儘管已知道故事的內容，一些出現過的字彙卻未必記得，孩子中也許有人可以將故事中的字彙寫出一百個字以上，但大人頂多八十～九十個字。不過如能達到這個階段，那麼讀書的方法，除了可以將視線由右頁轉動左頁來視之外，也可以將視點擺在左右頁的正中央，只要一瞥就可以視兩頁了。以這種方式來提高一分鐘的速度，也許在剛開始時寫出來的字彙數減少一些，但習慣之後就可望增加了。

閱讀『新創作童話』時

其故事內容一般人也許並不太了解，但是這一則童話的畫頁非常小，與一般的童話故事不大相同，只要做過基礎訓練，就能掌握住內容了，兒童能寫出一百個～一百五十個字彙，大人則頂多只能寫出一百個左右。而且要寫出一百個以上的字彙時，寫的時間就要非常長，如果三冊書中每一冊都能寫出一百個左右時，就嘗試著「二分寫」（後面將會解釋）看看。

如果只記住本文中的字彙，那麼寫出來的字彙就不會再增加了，但如果一邊想著故事的起承轉合，並一邊視到最後一頁，那麼這本大約一萬～一萬二千多字的書，就能寫出一百～一百二十個字彙來。如果在第一次無法寫到百分之一的話，就配合個人的程度，將以前所閱讀過的書中的字彙再寫一次。不過，只要能徹底地進行基礎訓練，那麼即使換新的書，只要大致地閱讀一次，就可寫出百分之一左右的字彙了，所以不管怎麼說，基礎訓練是十分重要的。

另外，從筆者的速讀研究補習班所做的「標準能力提高表格」所做的統計來看，速視力（看一頁時的速度）愈快的人，對於字彙的記憶力愈高，當然視每一頁的方法不夠流利時，也無法顯出其功效來，而且速度如缺乏節奏感，字彙也是無法順利地記憶下來。

〔何謂『二分寫』？〕

也就是每一册書閱讀一分鐘後，以兩分鐘的時間寫出字彙的閱讀方法。當然，書本的內容如果沒有詳細的印入腦海中，就不可能一口氣將字彙寫出來，由此可看出實力的標準，最低限度要能寫出四十個左右的字彙來。

此項訓練主要是在培養一個人瞬間的啟發能力。使用「棒線文字」也有學生可在兩分鐘內寫出五百個單字的，因此筆者相信，即使將時間增長了，也未必能寫出更多的字數來，因為這是在培養一個人的瞬間爆發力。而且，這項訓練就好像在做論文試驗一樣，在短時間內不得不寫出來時，其效力更高。

最理想的就是，在每一次的訓練中不要限制時間，讓學生閱讀兩册之後，給予兩分鐘的時間寫出所記憶的字彙。

要使訓練達到這個階段，通常以兒童比較快，不過大人平時如果也常做訓練，則和兒童的差異會小一點，但如平時無法做訓練，則會有很大的差異。這也就表示如果能習慣於書本上的內容，或創造出適合自己的節奏，定期地到速讀研究補習班做訓練是最好的。

閱讀『好朋友童話』『世界文學名著』『世界童話名著全集』時

相信看到這裡，讀者已經習慣如何速讀；也可以縮短視一冊的時間；寫出來的字彙數也會逐漸地增加；書內的插畫雖然很少，但是已能夠掌握住故事的內容了；文字就像抽畫一樣，當攤開書本來看時，就會了解到故事如電影鏡頭般，一幕一幕地出現在腦海中。因為這種鏡頭在一分鐘內，會重複地出現幾次。所以在第一回只要稍微理解就可以了，第二回才開始觸及到內容，到最後就必須做到完全理解的程度了。

〔為了幫助理解〕

從這本書的目錄一行一行地看下去，這時在腦海裡就會出現書中人物的照片和名字，在這種情況之下，每一個人可以憑藉著自己的感覺去想像故事的內容，並在閱讀一分鐘後，寫出所記憶的字彙，然後試著將序和跋，做概括性的閱讀。這種閱讀方法不僅是視讀而已，一般的書也往往利用這種方法閱讀，因為當有了預備的知識後，就更能掌握住書本上的故事內容了。

閱讀『傳記』時

當閱讀了幾册『傳記』的書籍後，就可以大致地掌握住其內容的重點了。例如，出生在什麼地方，做些什麼事，什麼時候死亡等等。只要習慣了之後，就會覺得閱讀起來比較容易，要寫出所記憶的字彙量也會大為增加。

例如，寫出來的文字數，有人由四百個字增加到六百個字，原本能寫出八百個字的人也增加到一千六百個字。甚至在剛開始時，總覺得書上的文字非常小，但後來字變大了，這也是理解度增高的主要原因。

閱讀『少年少女世界名著』時

將一頁分成兩段是比較容易閱讀的。兒童因為中心視比較廣。即使將左右兩頁分成四段來視，也不會發生任何障礙，大人的情形就不同了，如果在還未習慣時，沒有將一頁分成兩段去視，也許就無法理解了，而且不管讀了多少册，在感覺上仍是兩段同時視著，總而言之，在訓練其間，最好能習慣這本書。

人的一生中，總會發生許許多多的變化，如果能夠認真地訓練速讀，工作效率一定會比以前提高六倍以上，即使是在學業方面，只要有意願去閱讀，成績也可以達到相當高的境界。

在兒童的時候，就已來筆者的速讀研究補習班加以訓練，但學業成績卻沒有絲毫進步的情形也有，因此讀者們必須注意，除了在補習班認真學習外，在日常生活中也必須不斷地做速讀的訓練，才能達到真正的效果。

閱讀『少女名著系列』時

此類書的內容往往比較偏向少女，因此要男性拿來做為訓練的教材是比較困難的，但也可以因個人的喜好，而選出自己比較喜歡的書來，其實自己不太喜歡的書也同樣可以拿來做訓練，如此一來，就會覺得訓練後比訓練前更能接受此書了。

使用『文庫的書』

文庫系列的書，多半是中、小學生選擇閱讀的書籍，因為此類書尺寸比較小，而且字比較大，要擴展上下的視野較為容易，筆者可以感受到以這種文庫的書，比其他系列的書訓練起來更為容易。

閱讀『少年少女的世界名著』時

對於此系列的書，通常將本文分為一段或兩段來閱讀，但是如果已進入這種程度的人，往往已無視於一段和兩段的差異了。

閱讀『成人書』和『日本文學名著』時

緊接著就要進入最後的階段，一進入這個階段速讀訓練就已經到快結束的階段了，因為此時已經可以配合上述讀的節奏，有些人在一分鐘可閱讀一百萬個字，而且也可寫出一千字以上。

只是有時會因當天各人身體狀況的不同，所寫出來的字彙也有其上下限的不同。不過只要進入這個階段，不管是商業界或讀書的效率都會提高數倍以上，但是最重要的還是要做好平常的基礎訓練。

閱讀『新潮文庫中的「戰爭與和平」』

有關速讀方面的總整理，就是要使文字變小且每一行更短。因為愈袖珍型的書，攜帶愈方便，隨時可拿出來瀏覽一番，使得故事的內容就像電影一樣，一幕一幕地印入腦海中，而且在幾次的閱讀後，對故事內容的理解程度就會一次比一次強。

對特殊的書和參考書的閱讀方法

為了考試而看的參考書，必須一字一句地記下來，不能只是一眼看過去就可以了，因此必須將每一行加以區分來視，而且要能夠理解。

如果能夠好好地訓練，那麼理解力和記憶力都會增強，所視的也能印入腦海中，對於需要默記的內容具有特別的效果。

英文的閱讀方法

目前有一些速讀研究補習班，特別重視上下、左右視點移動方法的訓練，因此促使很多人對於英文也能很流利地速讀。

人類眼睛的視線，橫的方向比縱的方向還要寬濶，如果能上下左右擴大視野，那麼橫的一行一定比縱的一行更能映入眼裡。所以將視點擺在行的中心位置再由上往下看，就能以熟讀或更強的理解程度來閱讀英文，雖然說不懂的單字依然不懂，但是翻字典的速度也比訓練前的速度要增強好幾倍。

當速讀研究補習班的訓練結束後

在速讀研究補習班訓練約六十次以後，課程就全部結束了，有許多具有實力的學生，在一分鐘內已可閱讀五十萬個字到一百萬個字了，所以如果有機會的話，各位讀者也可利用這種速讀的訓練。而且學會了速讀之後除了一般的報紙或雜誌外，站著也可以吸收到觸目所及、更廣泛的知識，目前有一些女性在學習了速讀的方式後，對於政治、經濟等方面的書，也都能輕鬆自如地閱讀。

所謂的基礎訓練，如果只是一週訓練一次的話，是不會有效果的，要想達到更深一層的話，就需要再做更深一層的訓練，而且為了使得腦部更活絡化，也必須培養在瞬間能掌握住一切現象的習慣。

把身邊的東西拿來做為訓練的道具

上班坐車的時候①

可以將車子窗戶的四個角做視點移動訓練。

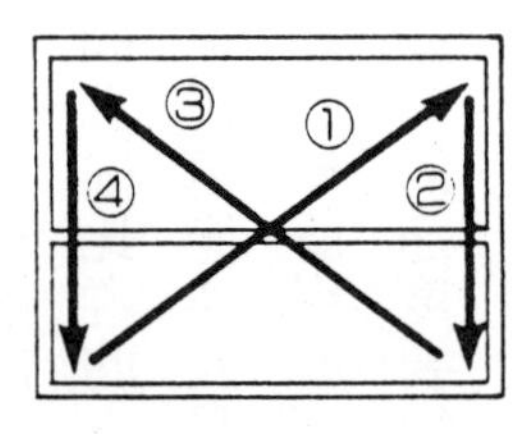

上班坐車的時候②

始終盯住車上的污點直到下車，就會覺得污點愈看愈大。

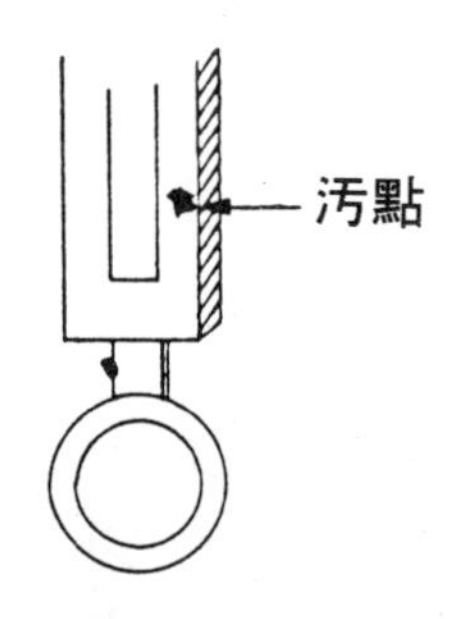

在路上行走時

今日百貨公司

週年酬賓特賣

當你走在路上看到某些字時，將眼睛稍微閉一下想想，然後再張開眼睛確認。

睡覺前

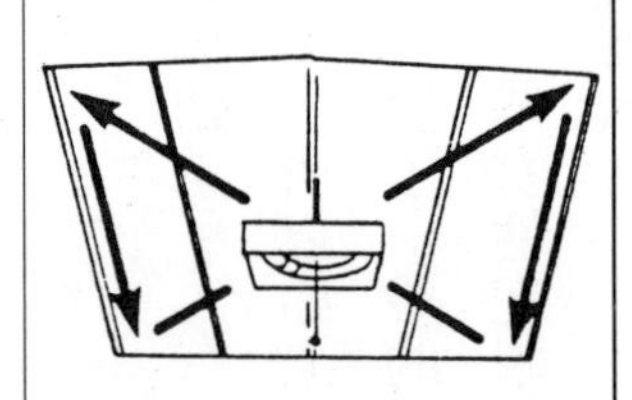

躺在床上，以天花板的四個角落來做視點移動。以看車上窗戶的方式進行。

第五章
右腦速讀可以改變一個人

☆只要訓練四十次就可熟練右腦速讀

訓練四十次後可記住一千個單字

現在筆者的速讀研究補習班裡，能夠在一分鐘內閱讀一百萬字至三百萬字的學生有四十名。而且一分鐘的字彙記憶量為一千個至四千五百個，甚至九千個以上的學生，目前已超過一百名了。

他們都能夠以零點零幾秒的速度來進行視書，而且能夠依照順序，訓練自己如何想出字彙，以這種情形加以訓練，就能訓練出超速讀和超記憶。但是像在對歷史小說進行超速讀時，就比較容易發生錯誤，且往往無法掌握住故事的趣味性，對於此點讀者必須有具體的認識。可是這項訓練如果善加利用的話，對於公司資料的處理、學習或聯考的準備，則是受用無窮的。

對於筆者的速讀研究補習班的訓練說明，相信讀者應該可以了解的，當訓練到了第四十次左右時，就必須使用完全沒有插圖的讀本，這種書籍的文字量約六萬個字，在一分鐘內必須閱讀十次至二十次，也就是一分鐘的速度要從六十萬個字至九十萬個字，甚至超過一百萬個字。

只要到達到這個階段，就表示已經到達上級了，但是想要到這個階段，任何學生都必須相當努力才行，而且在筆者的研究補習班裡最普遍的現象，是在閱讀了一分鐘之後，能寫出六百個以上的字彙，而在做了四十次以上的訓練後，卻只能寫出三百個至四百個字，這種學生，在筆者的補習班裡算是不及格的，因為筆者認為只要真正地努力訓練，一定可以寫出一千個以上的單字。

剛開始利用畫册，仰賴畫的印象來作為回憶

筆者要對第四章的訓練方式稍微補充說明。首先以視記號做基本訓練，等結束之後再正式閱讀書本，當然一開始要以最簡單的畫册為主，如果剛開始就想使用整頁都是密密麻麻的練習本，那是不太可能的。

在基本訓練後，眼睛已經能快速地掌握住物體，然後再進入閱讀畫本的這種訓

練方式，是不管小學生或高中生都必經的階段。例如下面這段：

「碰！碰！火車走過山裡的小村落，山裡的柿子樹已經結滿了紅紅的果實，從這個時候開始可以去撿柿子了，甚至也可以去狩獵了。碰！碰！優閒自如的火車飛過高山。越過大海。」

像這種畫冊只要〇・〇七秒就可速讀，只是視而已。從這個訓練再開始步入正式地閱讀書籍，以這種速度來視書，則文字就會在右腦產生印象，例如，山和鄉村的村落，以及樹或紅柿子等等這些文字，都會像繪畫般地印在右腦中，即使柿樹的紅果實，也會深印在腦海中，而且不管是碰碰地快速奔馳的火車，或緩緩而過的火車，都可以從繪的畫中看出來，並保存在右腦中。

在最初的階段，這些畫冊只要一分鐘就可視完，字彙不管記住十個或十五個都無所謂，如果能夠按照順序不斷地重複練習，就能夠像前面所說的，使字彙的記憶量增加到六百個至一千了。

只要能寫出字彙就可獲得理解

也許讀者會對「以透過速讀的方式來讀書，經回憶後再寫出字彙」的讀書方式，究竟對書的內容能理解多少產生懷疑。事實上，速讀後因為全部印入右腦，所以本人對書中的內容完全不了解，但是在視讀一分鐘之後，卻能想出字彙，並且寫出來，等左腦將之整理後，終於能夠了解書的全部內容。

最初以一分鐘的時間視書，過了二十分鐘之後，雖然只能寫出二十個至三十個字彙，但在不斷地回想之下，字彙的量也會逐漸地增加，同時寫出字彙的時間也不僅僅是二、三十字而已，兩小時或二個半小時後或許能寫出幾千個字呢！在筆者的研究補習班裡，就有幾個學生在花費了兩小時五十分鐘後寫出了一萬三千個字來。當進入這個階段時，則不僅能以一分鐘速讀，甚至也可以理解書的內容了。

也就是說，以右腦的速讀方法，如果要了解書的全部內容，需要再花費二～三小時的時間。

例如，以右腦速讀「戰爭與和平」，只要一分鐘就可視完，但在視讀結束後，是絕對無法完全理解其內容的，還是需要再花費兩小時至兩個半小時的時間去寫出字彙來，這樣子才能完全地理解「戰爭與和平」的內容。

可將全部的內容保留在腦海中

其實即使利用左腦速讀，只要花二～三小時的時間，也能了解「戰爭與和平」的內容，有人看到這裡時也許會認為：既然如此，那又何必做右腦速讀呢？根據品川嘉也教授指出，一邊理解內容一邊閱讀的上限，一秒鐘頂多三、四十個字，如果以這種單純來計算的話，「戰爭與和平」約一百四十八萬字，只要花費十小時就可看完。但是，為了理解小說起見，就必須將右腦速讀和左腦速讀所需要的時間差異計算出來。

但是請讀者稍安勿躁，如果將右腦速讀和左腦速讀做一個比較，就會發現情況是完全不一樣的，閱讀小說的主要目的在於欣賞它的故事，但如果是資料性的則強調其記憶。因此，如果使用左腦速讀則必須花費十個小時，否則無法了解到其樂趣，所以只好用右腦速讀。

從結論上來說，也就是要一邊理解內容，一邊閱讀時，如果使用左腦速讀，則任何書籍都可閱讀，但如果是右腦速讀，只要花費左腦速讀時的四分之一時間，就可以將內容完全記在腦海中，這是最重要的一點，因為使用左腦速讀時，無法將重點完全記憶下來。

而且在做一些商業性的資料處理，或準備考試時，以右腦速讀也比較有效。這也是筆者一再強調要善加利用右腦的主要原因。

☆一分鐘可以記住九千個字

使用三秒鐘視完「未來的東京」

在筆者的速讀研究補習裡，能寫出九千個字彙的是高木雅之同學，今年二十一歲，是專科學校的學生。一九八八年一月六日進入筆者的補習班，經過了五十天的訓練，就達到能寫出九千個字彙的程度，現在簡單地來探討一下高木同學的訓練過程。

高木同學在一月六日進到補習班，結束了基礎訓練後，就用始進入第一本教材，也就是適合五至七歲兒童看的童話（文字數是三千三百五十個），到了一月九日的第五次訓練時，也依然以適合五至七歲兒童閱讀的小小童話集為讀本（文字數是四千零十八個），所需要的時間為三秒鐘。如此算來，他在一分鐘內可閱讀八萬零三百五十九個字，速視力是〇・〇四秒，記憶的單字數是八十二個，高木同學的成績逐漸地向上竄升，終於名列前茅。

・第七次（一月十日），仍以適於五至七歲兒童閱讀的幼年童話（文字數為五千八百八十個）為讀本，所需的閱讀時間為三秒，速視力是〇・〇三秒，記憶單字數是一百零三個。

・第十次（一月十三日），以小學低年級適讀的兒童名著（文字數為六千八百八十七個）為讀本，所需要的閱讀時間為三秒，速視力是〇・〇四秒，記憶單字數是一百一十五個。

・第十三次（一月十四日）以新創作的童話為主（文字數為一萬一千六百五十六個），所需要的閱讀時間為兩秒，速視力是〇・〇二秒，記憶單字數是兩百零三個（寫出來的時間共花費十一分鐘）。

・第十八次（一月十七日），以中、小學適讀的世界文學名著為主（文字數為一萬九千零二十六個），所需要的閱讀時間為兩秒，速視力是〇・〇一四秒，記憶單字數是一百二十三個（寫出來的時間花費了兩分鐘）。

・第二十五次（一月二十二日），以兒童傳記「萊特兄弟」為主（文字數為三萬五千三百四十四個），閱讀所需要的時間為五秒，速視力是〇・〇三秒，記憶單字數是兩千四百個（寫出來的時間共花費了九十一分鐘）。

・第三十四次（一月二十九日），以少年少女世界名著為主要讀本（文字數為五萬九千一百一十八個），所需的閱讀時間為四秒，速視力是〇・〇二秒，記憶單字數是兩千一百三十二個（寫出的時間共花費了六十分鐘）。

・第四十次（二月三日），所使用的讀本『在蘋果田的四日間』（文字數為七萬七千兩百五十六個），所需的閱讀時間為九秒，速視力是〇・〇三秒，記憶單字數是三千六百個（寫出的時間花費了八十七分鐘）。

・第四十四次（二月五日），所使用的書『弗蘭肯施泰因傳』（文字數為十三萬八千一百五十個），所需的閱讀時間為四秒，速視力是〇・〇一三秒，記憶單字數是一千七百五十個（寫出的時間為四十分鐘）。

・第五十一次（二月十一日），以『戰爭與和平』為讀本，（文字數為三十三萬六千六百零四個），所需的閱讀時間為五秒，速視力是〇・〇〇九秒，記憶單字數是兩千六百六十個（寫出的時間為六十分鐘）。

・第五十五次（二月十四日），所使用的書『堤義明的安靜挑戰』，（文字數為十七萬七千零四十八個），所需的閱讀時間為四秒，速視力是〇・〇一一秒，記憶單字數是六千兩百十八個（寫出的時間為八十五分鐘）。

・第六十一次（二月二十一日），以『走過時代』一書為讀本（文字數為十三萬兩千一百一十一個）所需的閱讀時間為四秒，記憶單字數是六千五百九十八個（寫出的時間為七十分鐘）。

・第六十二次的六月二十三日，閱讀文字數達十二萬五千零九十六個的『未來的東京』這本書時，所需要的時間為三秒，速視力是〇・〇一二秒，寫出九千個記憶的字彙時則花費了一百分鐘。

☆每日訓練可以發揮功效

經過嚴格的訓練可提高成果

從高木同學的受訓記錄中，讀者應該可以注意到，他每天不間斷地來筆者的速讀研究補習班接受訓練，所以在短期間就完成了速讀的訓練，並且在接受了四十次的初級訓練後，不到三個月的時間，就已經駕輕就熟了，高木同學的訓練成果，可以說已經超出了標準。如果在訓練了一段時間後停頓下來，等過了一陣子再繼續訓練，是無法得到效果的，必須每天持續地訓練，才會有所成。

當然，要寫出所記憶的字彙，也要花費相當長的時間，如果不徹底地去回憶再寫出來，效果是無法提高的。

因此一次的訓練時間，從視讀到寫出字彙為止，也要超出兩個小時以上，所以這種訓練過程也是非常嚴厲和辛苦的。

對教科書的理解測試為六十至八十分

利用速讀的讀本來訓練速讀，只是要了解學生對讀本內容的理解程度，所以筆者在速讀補習班，就對學生以讀本的要點和內容做了一個測試，由測試的成績看來，成績差的學生大約五十分，成績好的學生則大約都為一百分。然後又以文學方面的書籍做測驗，先視一分鐘，再給予一小時的時間寫出字彙，結果平均為七十至八十分左右。在訓練了四十次之後，到達了高級階段的學生，就可以以學校的教科書做一個整體性的測試。

雖然教科書都是由教育部統一規定的，但是教科書的種類繁多，筆者的補習班裡所使用的教科書教材都是從出版社買進來的，所以有時也選用學生在學校沒有讀過的。到達高級階段的兒童，如果利用教科書來做測試，一般都能得到六十至八十分，其中也有一些能得到一百分的。

像大學聯考一樣，每一個人都只有一次參加共同考試的機會，有人能得滿分，有人卻只能得到滿分的一半而已，但是在筆者的速讀補習班裡，他們的測試成績往往都超出了在學校的考試成績。如果以一分鐘視教科書，而獲得了六十分以上，那麼筆者就可驕傲地說：

「在筆者的速讀補習班所學的速讀方式，比起其他的速讀補習班，對於學校的學業成績有更顯著的功效。」

其實右腦速讀不管是在讀書時，或閒暇時都可進行訓練，在看小說或電影時也可廣泛地訓練，培養右腦速讀的能力。

☆從測試中了解對文章的理解程度

速視一分鐘之後再進行測試

其次，把注意力放在筆者的速讀補習班的測試例題上，這個例題是以適合五至七歲的幼童閱讀的幼年童話（文字數為八千零五十個）和以小學及中學為對象的傳記「居禮夫人」（文字數為三萬九千一百零九個），在速讀一分鐘後，立刻翻到下一頁的測試問題，其成績亦列表如下。

測試的例子

居禮夫人

姓　名　　　　　　　　　　月　　日

上課次數　　次
理解程度　　%
速 視 力　　秒
字彙比率　　%

1.正確就打「○」，錯誤就打「×」，並分別寫在空格裡。

①瑪莉有許多兄弟姐妹。(　)

②瑪莉是家裡的么女，受到家人的愛護。(　)

③瑪莉在兒童的時候，不喜歡看書，喜歡玩打仗的遊戲。(　)

④瑪莉所住的渥爾夏瓦被德國佔領了。(　)

⑤瑪莉的父親是一個資深公務人員。(　)

⑥當時法國的教育水準比波蘭高，所以瑪莉就到法國留學。(　)

⑦瑪莉在法國留學時，以當家庭老師賺取學費。(　)

⑧瑪莉居禮曾經兩度獲得諾貝爾獎。(　)

2.在空格中填入適當的文字。

①瑪莉在梭爾邦大學的學生證，寫上(　　)的名字。

②瑪莉和皮爾在巴黎郊外的(　　)村舉行結婚典禮。

『居禮夫人』測試成績一覽表

名　字	上課次數	答對比率（％）	理解程度（％）	速視力（秒）	字彙比率（％）
H.Y	33	100	30	0.02	1.1
C.K	32	90？	30	0.03	2.1
H.M	29	80	40	0.03	1.9
M.H	27	100	40	0.02	1.1
Y.I	26	88	30	0.03	1.6
E.N	29	88	30	0.04	1
Y.T	33	88	20	0.03	1.0
Y.O	38	100	40	0.03	3.1
F.O	28	100	40	0.03	1.2
N.I	25	80	35	0.02	1.5
C.F	44	90	40	0.03	1.6
N.K	36	100	30	0.03	1

答對比率——測試的分數

理解程度（左腦）——自己覺得理解的程度

（這裡是指右腦和左腦的問題）

速視力——視一頁的速度

字彙比率——視『居禮夫人』一書後所能寫出的字彙數

☆右腦的速讀水準年年提高

能力提高的表格

這裡是利用右腦來做為每天的速讀訓練，而且可以確實地發揮其功效。

例如，表A、B是以一九八六年六月以前進入筆者的速讀研究補習班的學生為對象，所做的有關於提高能力的統計者。

A表，是除去B表中的七名學生後，任意選出五十名學生，做階段性的區分，A段為二十名，B段為二十名，C段為十名，然後再將成績統計做出平均值來。

再請看C君，這是一九八八年五月在速讀補習班中，能力排行前五名的成績表，和A表相較之下，其成績顯然好得太多了。

可見右腦速讀只要能夠每天不斷地訓練，絕對可望迅速提高能力。

〔表的看法〕

（階段評價）——這是根據講師們開會後，所決定出來的階段和級數（一分鐘的速度為五萬字以上）。

A級：從往後不斷地訓練，仍可維持速視力，是屬於優良者。

B級：速視力（讀視力）不太理想。

C級：腦力不夠活絡，速視力不太理想者（高齡者除外）。

（秒）——一冊書閱讀一次的秒數。

（記憶單字數）——一分鐘反覆地視一冊書，並寫出名詞、代名詞、形容詞和動詞等字彙，寫出的字不可重複。

階段評價

『沒有畫的的畫冊』
的情形

A　級

60,000字÷6秒×60秒

＝600,000（1分鐘的速度）

B　級

60,000字÷39秒×60秒

＝92,307（1分鐘的速度）

A		B		C	
秒數	記憶的字彙數（速視力）	秒數	記憶字彙數	秒數	記憶字彙數
19	45（0.27）	42	45	48	26
22	61（0.27）	42	65	46	33
19	95（0.25）	46	61	48	28
21	109（0.28）	46	67	37	39
24	109（0.32）	36	81	36	84
20	113（0.26）	53	83	32	54
26	124（0.28）	40	104	30	84
15	152（0.16）	44	108	37	102
12	178（0.13）	50	123	32	120
13	242（0.13）	48	128	29	124
11	219（0.11）	43	144	34	127
11	285（0.11）	44	142	33	120
10	247（0.10）	42	166	35	135
12	448（0.08）	48	199	32	134
8	599（0.05）	37	175	33	161
6	680（0.03）	36	262	28	130
6	738（0.03）	41	307	47	180
8	1,116	41	371		
6	928（0.04）	39	455		
6	1,106（0.04）				
7	1,123（0.03）	31	471		

能力向上表

階段評價			目前的A級	
書的名稱	頁數	書的文字數	秒數	記憶的字彙數（速視力）
童話	70	4,000	6	100～120（0.07）
	80	5,000	6	100～120（0.07）
兒童世界名著童話	75	6,000	4	150～200（0.05）
	〃	7,000	4	150～200（0.05）
	〃	8,000	4	150～200（0.05）
	〃	9,000	4	150～200（0.05）
新創作的童話系列	92	10,000	4	250～300（0.04）
	〃	11,000	4	250～300（0.04）
	〃	12,000	4	250～300（0.04）
好朋友童話系列	95	13,000	4	300～500（0.04）
	〃	14,000	4	300～500（0.04）
	〃	16,000	4	300～500（0.04）
	〃	19,000	4	300～500（0.04）
世界文學名著	135	20,000	4	700～1,000（0.03）
	〃	24,000	4	700～1,000（0.03）
世界童話名著	155	30,000	4	1,000～1,200（0.02）
傳記	170	38,000	4	1,200～1,800（0.02）
	〃	48,000	4	1,200～1,800（0.02）
沒有畫的畫冊	140	60,000	3	2,000～3,000（0.02）
耶誕祝頌歌	140	70,000	3	2,000～3,000（0.02）
少女嘉年華會	210	70,000	6	1,800～2,000（0.02）

☆看看創下九千個字的訓練記錄

經過五十天的訓練就得到這種成績

本書在前面曾經介紹了高木同學，他創下了寫出九千個字彙的記錄，並且以「我在五十天之內得到的成果」為題，寫出一份和速讀術有關的報告書，筆者認為這個可以做為理解速讀的參考資料，所以將其全文做一個介紹。

閱讀畫册的時期

【初　期】

- 多半已經記不起插畫了，但卻能夠有意識地閱讀出它的文字來，且一旦閱讀了就能記得很清楚，其他不相關的文字絕不會印入腦海中。
- 從插畫中可以聯想出其他的字彙來。

・一定要想出一個比較有效的翻書方式，而且每一頁都必須翻得很迅速，當然左拇指也必須用力。
・把書放在桌上翻，但是無法翻得很順利，有時覺得心慌意亂，頭部、肩膀和眼睛都很疲倦，心裡也很緊張。
・算算時間，覺得必須趕快翻閱，使得內心很慌張。
・內容也是飛逝地看過去，頂多只記住五、六頁而已。
・回到家裡以後，以大約兩、三小時的時間做一點凝視的訓練，有時甚至以多出兩倍的時間來訓練。
・幾乎不知道該怎麼做才好，愈是想要記住，愈是忘得快。

【中期】

・有時認為還是蠻順利的，但因為有時太過於疲勞，使得眼睛沈重得無法睜開。所以在圖形訓練的第一個階段進行得並不很順利。
・依然無法以固定的方式翻書。
・如果沒有意識地在眼睛用力，就無法擴展視力。

・還沒辦法從視單頁，進入視兩頁的階段。
・對故事有所印象，但對其文字卻無法留下記憶。
・每天聽講兩次覺得很疲倦，而且對自己是否有能力辦到，覺得惶恐不安。
・眼睛雖然看到了，但卻一下子就忘光了。

【後　期】

・對眼睛所看到的，稍微有了感覺。
・熟悉的故事對訓練似乎較有幫助。
・用手拿住書，頭部比較不會覺得疲倦。
・不管插畫或文字可以記得更多，而且對故事的內容，可以記得更詳細。
・讀到的字彙好像都忘光了，所以不想再閱讀。
・可以了解到故事的有趣性。

閱讀世界名著的時候

・因為我所知道的世界名著故事比較多，所以就比較想去看，但是仍無法做測試，尤其如果經過深思就更無法做到。

- 速讀也可轉移感情。
- 在圖形訓練的第一階段，眼睛依然無法如自己所希望的方式轉動。
- 總希望寫出來的文字數比前一天多，所以覺得特別累。
- 插畫比較少了，所以無法依賴畫來寫出字彙。

閱讀傳記的時候

- 這個時候是個過渡時期，因為太過於在乎測試後的成績，所以心情很不穩定。
- 故事陸續地出現，所以比較容易掌握，尤其是洋文更容易記住，但是漢字則較難記。
- 從這個時候開始導入自律訓練法，所以圖形訓練的第一階段就變得順利多了。
- 視野比從前稍微寬廣了一點，翻的速度也加快了，但是左頁還是看不到。

閱讀少年少女名著的時候

・如果分做兩段來看，就會發現突然可以將整頁看完，視野變得更為廣潤。
・經過反覆地練習，眼睛已經能習慣了，而且即使速度慢了一點，但因以兩段式閱讀，所以能充分地理解。
・即使不依賴插畫也無所謂，因為過渡期已過。
・視野急速地變得寬潤，連車站的廣告也能一瞥就看清楚。
・感覺上好像有黑點吸引住我了。

閱讀文庫的書籍時

・要翻閱封面時非常困難，所以必須反覆練習幾次，才能駕輕就熟。
・因為沒有分為兩段式，所以閱讀起來更為快速，也較容易。
・訓練四十次之後，初級就已告一個段落，若再進一步，會產生了不安感，而缺乏自信。
・文字浮現出來，但因照明度較暗，所以無法看清楚。
・到了這個階段，和以前比起來，可以說是一個大轉變，觀念也完全不同了。

閱讀成人書的時候

・第一段沒有問題，到了第二段就比較困難，理解的程度也較差。
・速度可以不需要太快。

閱讀推理小說的時候

・完全沒有插畫，看起來比較容易。
・速度提高了，而且資訊的內容不多，所以只要視十秒鐘就可以了。
・對於不太了解的故事，速度可以稍微慢一點。
・即使是推理小說，也是非常簡單的。如果故事的內容非常複雜，其所設下的圈套還是可以「視」破的。

閱讀商業書籍的時候

・平常讀起來就不太能了解的內容，利用速讀也是無法了解的。

・出現的文字看起來比較容易，雖然書本大一點，但內容很少，很快就可以理解。

閱讀教科書的時候

・因為出版社及字體大小的不同，所以有些書看起來比較容易，有些就比較困難。

・橫寫的書，從右往左看完全沒有問題。

・寫出所記憶的字彙後，再嘗試做一下題庫，就會覺得較容易了。

・國文、社會、數學、理化、英文也可以拿來做為閱讀的教材。

總評和歸納

・一分鐘視讀之後，再做大約二至三十秒的歸納，只要列出一些比較詳細的內容，大致上就都可以理解了。也許寫一個小時以上的字彙會覺得很疲倦，但在你的腦海中卻湧現出更多，要寫都來不及寫。

•對於寫出字彙的時間和數量不要太過於在意，即使稍微慢一點，只要能將內容掌握住也就可以了。

•看了圖表就可以了解，從訓練開始到大約訓練四十次左右為止，會認為自己一直都非常不順，而且根本不知該如何做才好，也就是說根本不知該如何掌握，才會比較順利。

•一開始，黑點就像日蝕一樣，周圍都是白色的，看起來有兩倍左右的大小，然後配合自己的呼吸，使黑點就像自己在吸氣一樣的感覺，但是在特別注意時，又會覺得自己好像被吸到黑點中央一樣。（如此一來就會急速延伸）

•不要太過於要求自己要如何迅速，只要確實地認為自己在功課上或工作上，效率已有顯著地提高就夠了，而且也不可在別人面前表現出驕傲的樣子。

•對速讀抱著不信任感的人最好不要接受訓練，因為在這種觀念之下，是無法提高效率的。最重要的一點，是必須要有信心，在剛開始訓練的階段，總會覺得頭腦怪怪的，老是做不好，每次一翻開書，想用心地去視讀時，就覺得眼睛和身體非常疲倦，無法順利地視讀，但慢慢地就可以將這些不適感克服，且變得駕輕就熟了。

以上即是高木同學所寫和速讀有關的報告書內容。

自律訓練方法，主要是在暗示學習速讀的人，速讀一定會有心得，有了這種暗示之後，在不知不覺中就會很快地加強自己的速讀術。

但因為自我暗示的力量非常強烈，使得神經緊張，結果是愈緊張愈忙亂，且愈做不好，所以最好的方式就是使身體保持輕鬆，頭腦維持清晰、活絡的狀態，在腦海中儘可能保持中空的情況，什麼都不要去想，當心情非常穩定時，進到高級程度的階段時，會突然覺得充滿自信。筆者認為做生意的人，如能訓練到高級的階段是最好的了。

速讀的功效

- 一些英文報紙或專業性的英文雜誌，即使沒有經過翻譯，也能以原文來做速讀，並了解內容。
- 就像電影出現的字幕，即使不看也了解在說什麼。

- 雖然不會讀法文和德文，但是會寫（可以記住它的模樣），再稍微用功學習，就可以理解文章的內容。
- 英文的聽力也可以從速讀中很快地加以訓練。
- 對於語言的理解力逐漸地加強，因此不管到國外或在國內，隨時都可以派上用場。
- 即使是人與人之間的無聊談話，也能記住大部份，等下次再碰到對方時，就可以沈著穩重地應付，而且對於對方情緒上的變化，也有了大致的了解。
- 可以簡單地記住圖表、年代、地圖、公式、照片等特徵，數學上的問題不但可獲得解答，甚至也可記住（這屬於圖形記憶）。對於英文的文法、內容、字典都能記住，特別是從五官進入的資訊更可完全記牢。
- 資訊一旦記住就不會忘記，甚至可拿出來應用，可見大腦就像書櫃一樣，可容納一切的資訊。
- 在現實的社會中，會速讀的人其腦筋的轉動，比一般的人快上數十倍。
- 要記住電話號碼、住址、人名、地圖和導遊的書，覺得非常簡單。

各種訓練的成果記錄圖表

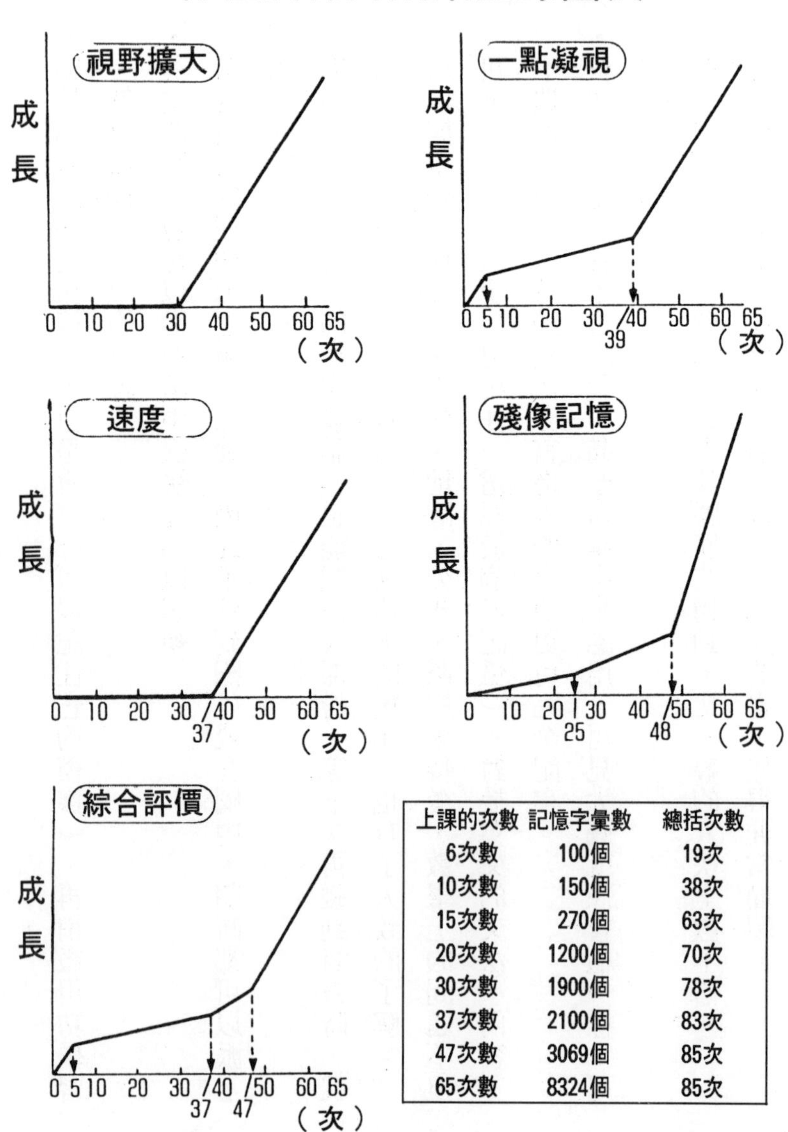

上課的次數	記憶字彙數	總括次數
6次數	100個	19次
10次數	150個	38次
15次數	270個	63次
20次數	1200個	70次
30次數	1900個	78次
37次數	2100個	83次
47次數	3069個	85次
65次數	8324個	85次

- 因粗心而發生的錯誤幾乎不再發生，即使有也可立刻發現。對於別人的錯誤，一眼就可看出來，但不會再以尖銳的語氣去質問，自己會有謙虛和體恤他人的想法。
- 競賽時的策略更為加強。
- 頭腦變得較為靈活；對現場的處理能力加強；應變的能力也加強；臨場的問答可以正確地加以回答，進入超級市場或百貨公司也可以馬上找到自己所要的東西。
- 對於外行的書籍，能夠很快理解。
- 運動神經非常發達，可以很快地掌握住資訊，所以行動起來很敏捷。
- 進取心較為旺盛，比以前喜歡買書。
- 開車時更為輕鬆自如，從車子的後照鏡前後都可看得很清楚；也可看到四週的風景；而且很快地就習慣了速度；車子周圍的人和車即使沒有映入鏡子裏也感覺到是存在的。
- 可以很快地了解程式，並找出其錯誤之處。

・能很快地熟悉新的語言和機械，對於說明書也能很快地理解。
・能夠迅速地完成程式設計，做事的效率提高很多。
・對於同時出現的工作，可以具體地加以劃分並完成。
・談判的能力非常強，即使與人初次見面，也可以讓對方產生信賴感。
・腦力全開，工作的時候絕不會打瞌睡。
・善於運用別人的優點，做事的時候可立刻掌握事情的重點。
・交際非常廣泛，接獲的訂單很多，打起字來更是快速，善於運用時間。

下面各點是訓練速讀後所具有的各項超能力，如果你不相信也無所謂，但確實是真的。

可開發出超級能力

・可以使用精神感應推動其他的人。與距離的遠近無關（其人際關係非常好）。
・工作或課業發生問題時，馬上就可找出解決的方法。

・立刻就可料到別人所想的東西或想做的事。

・感覺上，自己現在的意識和過去的潛在意識完全不一樣，對於困難或不了解的事情，能在不知不覺中圓滿地解決；即使迷路了，只要有自信地對自己說一切都可辦得到，結果就能順利地到達目的地。

也可以培養出超感覺性的機能

・例如，看到運動選手在運動場上的表情，就可以判斷出勝負和鹿死誰手了。

・看到雜誌上的廣告或電視上的廣告節目，馬上就可了解該家企業是否會成功（利用直觀）。

・只和一個人講幾句話，就可感受到他的氣質，並了解到他在工作上、課業上、家庭和人際關係是否順利（可立刻分辨出一個人的性格）。

・對方雖然把話講得很好聽，但馬上可以從身體感受到這人是否值得信賴；即使對方沒有開口說話，也知道他想做什麼。

可以培養預知能力（自衛的本能更為敏銳）

・平常開玩笑所說的話，往往會真的發生了。

・對於意外事故，或自己可能發生的不幸，事先就會預料到。對於最近將發生的事情也可以預知，例如，稅務員或稅務機關要來查帳簿，已事先預知，所以可事先做好因應之道。

可以改變性格（以自律的訓練方法）

・以前的個性比較冷漠、陰沈、不討人喜歡、人際關係差、朋友少、無法與人和睦相處、臉色差、保守、缺乏彈性和自信心、對於事物缺乏敏銳的觀察力、老成持重、口才很差、急躁、甚至於任性。

但現在卻是一個熱情的人，對人溫和有禮、人際關係變好、善於接受別人、重視別人、有一顆體恤別人的心，常常突破自我，變得有自信和具有彈性，心胸開濶，富有冒險犯難的精神，善於言辭、話題豐富、急躁的脾氣已大有有改善，變得沈著、穩重，具有領導的能力，經常引人注目。

・已經不再冰冷生硬，變成像海綿一樣具有彈性，即使他人有所指責時，剛開始覺得難過，但過了一陣子又恢復原本的自信，絕不會再有悶悶不樂，或因自尊心受侵害而懊惱不已。

高木雅之同學的感謝文

當筆者從濱松出來的時候，全部的親戚朋友都強烈地反對，並做嚴厲的攻擊，所以說那個時候是在非常痛苦的情況下來到東京，並到速讀補習班學習速讀的，不過現在回顧起來，覺得自己當時是做對了。

筆者覺得最大的收穫是對自己更有自信心，因為筆者認為一個人一旦缺乏了自信，人生的諸事就會受很大的影響。後來因為工作和學習的效率逐漸地提高，因此在精神上更為愉快，所以筆者常想要將自己的快樂與他人分享，也想幫助別人能像筆者一樣獲得自信心，並使精神更為豐富，因為在這個社會上，這兩項無形的力量確實有很大的用處，也就是因有了這兩個力量，使得筆者在速讀上的成績日益精進。

筆者因為學會了速讀術，所以有一股奇妙的感覺，也就是更能運用心靈感應。不管在如何遠的距離，只要是與自己有關的要求、傳言、怒氣、壞話等等，一切都可以了解，即使不在家，也知道誰會打電話來（因為超級感覺的機能非常敏銳）。在無形中就會覺得自己好像是具備了超高感度的雷達一樣，如果告訴別人，自己具有這種能力，別人是無法理解甚至不相信的，但筆者認為這也無所謂，因為超能力是突然發生的，無需將過程加以說明，因為不管如何對別人解釋，他也無法了解。

筆者到東京學速讀時的學費和生活費相當高，每一個月每個人要花費三十萬日幣左右，但是筆者認為如果能有效地提高速讀的功能，並且以經濟性的效果加以換算的話，學會了速讀，就可以達到一百倍，三千萬日幣的功效，甚至於還會高出更多。有關右腦速讀的兩本書（「學會速讀術後學習能力也顯著提高」、「超速讀的訓練」）內容，筆者覺得十分真實。

而且當筆者第一次翻這兩本書時，就深深被它吸引住了，於是很快地就掌握住了書本上的理論，所以，筆者認為是山下先生引導著自己走向速讀的路，當然，有時也未必是因為別人的引導而去做的，在這個社會中，好像有個家長一樣，以人類的肉眼所看不到的力量，在冥冥之中牽引著你去學速讀。

筆者學會了速讀之後，覺得這個社會就好像變成了另外一個世界般，對於想法也和過去完全不一樣，如果以身高來做比喻的話，自己大約長高了十公尺左右，看世間萬物，就如同小玩具一樣。因此筆者可以斷言，速讀術可以改變一個人的命運和人格，而且具有無比的威力，雖然到目前為止，筆者在社會上做事始終還是以體力來決勝負，但希望以後能以腦力來一決勝負。

☆右腦速讀對人生愈來愈有意義

在三十五歲時仍可以寫出七千二百零一個字彙

到目時為止，本書已經介紹過許多有關於右腦速讀的好處，但是並非每一個人做速讀訓練，右腦就一定會很發達。

筆者在自己的速讀研究補習班所做的實驗顯示，在一分鐘之內能夠快速視一百萬字，並寫出一千八百個以上字彙的人，其年齡的界限為三十二歲，而且在三十二歲的人中，具有這種能力的也只有五個人，三十三歲以上的一個也沒有。

但是在寫本文的時候，卻出現了一位能夠寫出七千兩百零一個字彙的三十五歲男士，由此筆者才發現自己以三十二歲為界限的見解，太過於粗淺了。而且在這之前也曾出現了一位像高木雅之同學那樣出類拔萃的人，高木雅之同學能寫出九千個字彙，但這位十七歲的女學生卻能夠寫出一萬三千個字。因此可以說右腦速讀確實是隱藏著無限的潛力。

在三十五歲還能熟練右腦速讀的人，是在長野縣諏訪市經營小型自助商店的宮坂弘治先生。他從一年前便對速讀產生了興趣，剛開始時，他就曾經自己將速讀教科書，從前頁閱讀到後頁，後來他自己要求來學習山下式的右腦速讀，於是參加了筆者的速讀補習班所舉辦的函授教育講座。

剛好在這個時候，宮坂因罹患了肝病住院兩個月，在住院期間，每天持續三小時做丹田呼吸法、一點凝視法和上下左右移動法，確實地進行速讀的基本訓練。而在這時，宮坂太太在偶然的機會裡，和高木雅之見了面，她親眼看到高木同學以三秒鐘的時間看完一本經濟學，覺得非常不可思議，回去後就把這事告訴了宮坂，宮坂聽了這個事實後，馬上到東京加入了筆者的速讀研究補習班，於是從一九八八年三月二日，宮坂開始接受速讀的訓練。

宮坂在經過了右腦速讀訓練後，提出了他的感想：

「每天訓練六個小時，到了三十七天後就可寫出七千兩百零一個字彙，視野變得相當廣濶，一份大約四十萬字的報紙，或大約兩、三册的單行本資訊量，只要二十分鐘的時間，就可將文中的內容掌握住，而且不管任何書籍，只要在一瞬間就可記憶住，當然，最重要的是必須把這種記憶變成印象化。」

因為宮坂是一位小型自助商店的老闆，資訊情報量非常多，變化也很快，必須隨時掌握資訊，所以在經過速讀訓練之後，他對於資訊的處理相當地有自信。下面是宮坂的速讀訓練經過一覽表。

宮坂弘治的訓練記錄表

日　期	寫出字彙的數	記　錄
3月1日	60	
2日	90	
3日	140	
4日	24	
5日	50（兩分鐘寫出）	
8日	80（兩分鐘寫出）	
9日	276	
10日	280	
11日	330	
12日	510	
15日	331	一時沒有進步
16日	58（兩分鐘寫出）	
17日	811	
18日	808	
22日	1,001	擺脫低迷時期
23日	1,136	
24日	1,523	
25日	95（兩分鐘寫出）	
29日	1,650	
30日	300（十五分鐘寫出）	
31日	1,800	
4月1日	522	
2日	750	一時沒有進步
5日	1,650	
6日	900	一時沒有進步
7日	1,650	
9日	61（兩分鐘寫出）	一時沒有進步
12日	1,738	
13日	2,204	
14日	3,072	
15日	1,441	
19日	2,750	
20日	2,502	
21日	2,640	
22日	4,000	
26日	6,155	
27日	7,201	
28日	345（兩分鐘寫出）	
30日	300（兩分鐘寫出）	一時沒有進步

即使不到補習班去，只要自己訓練也可以培養出能力

三十五歲才以右腦速讀創下佳績的宮坂的例子已經介紹過了，但是右腦速讀的極限究竟到幾歲呢？

目前在補習班裡有一位四十六歲的新聞記者，他能在一分鐘速視四十萬個字，並寫出六百個字彙。對一個新聞記者來說，可以說是一個每天都接觸到文字和資訊的知識分子，從他所顯示出來的速視程度，即使他本身是一個程度相當高的知識分

子，四十六歲也是右腦速讀的最高極限。如果要速視兩百萬字至三百萬字的量，除了小學生、初中生、高中生、或大學生一、二年級的人外，要其他更高年齡層的人，訓練到這種程度是不太可能的，有一位小學五年級的女生能速視兩百萬字，並寫出三千個字彙，已是小學生中成績最高者了。以小學的程度來說，能有這種成績是非常優秀的，因為一般來說要小學生寫出三千個字，是不太可能的。

對於超速讀的年齡限制，有各種不同的說法，但是不管怎樣，筆者的速讀補習班也不拒絕中年人或高齡者。超速讀的基礎訓練，是每天不斷地訓練，看學生在一分鐘內能記住幾個記號，總共分成四十次，在所有的基礎訓練結束後，學生要能夠看三千六百個記號。有一些生意人為了培養資料的處理能力，常常到左腦速讀補習班學習速讀，筆者希望他們能改變方針，到筆者的補習班接受右腦速讀訓練，因為只要做右腦速讀的基礎訓練，就可具備處理各種資料的能力，而且筆者可以保證，絕對不會輸給左腦速讀，甚至可比左腦速讀快上兩、三倍，因為左腦速讀如果不和右腦速讀合併使用，大腦就無法活絡化，也無法提高速讀的能力。

根據對學生們所做的問卷調查顯示，只要一開始做右腦速讀，對人性的感覺會變得非常敏銳，即使到了五、六十歲再做速讀的訓練，也絕對不會白白地浪費，因為它可防止老人痴呆症，甚至返老還童，過著更有意義的人生，所以筆者奉勸各位讀者，趕快接受右腦速讀的訓練。

☆超速讀所創下的記錄意外地高

最後就超速讀和超記憶所產生的功能加以整理，並分成下列幾個要點，加以歸納之。

一、可以培養集中力。

二、擴大視野和視點。

特別是文庫之類的書，字跡都非常小，如能以超級的速度來視讀，一定能將文字擴大視之。

三、培養具超速讀的眼力。

就好像精巧的照相機一樣，把眼睛訓練成一面透明的鏡子，每頁以〇・〇一秒的速度視讀來培養眼力，因此必須特別重視超速視力的訓練教材。

四、讀書時可以從大的文字逐漸進入小文字的訓練階段，而且要做集中訓練。

五、利用集中性的大量資訊，可以促使腦神經回路的發達與變化，就好像在訓練划船一樣，訓練愈多，上腕力愈強勁，也就是在做運動訓練的同時，肌肉細胞也會跟著變化。

14. 輕鬆攻佔女性	趙奕世編著	230 元
15. 解讀命運密碼	郭宗德著	200 元
16. 由客家了解亞洲	高木桂藏著	220 元
17. 從愛看人性	黃孚凱編著	220 元
18. 後宮生活秘辛	廖義森編著	230 元
19. 野史搜奇	廖義森編著	220 元

・血型系列・品冠編號 611

1. A 血型與十二生肖	萬年青主編	180 元
2. B 血型與十二生肖	萬年青主編	180 元
3. O 血型與十二生肖	萬年青主編	180 元
4. AB 血型與十二生肖	萬年青主編	180 元
5. 血型與十二星座	許淑瑛編著	230 元
6. 血型與職業	萬年青主編	180 元

・女醫師系列・品冠編號 62

1. 子宮內膜症	國府田清子著	200 元
2. 子宮肌瘤	黑島淳子著	200 元
3. 上班女性的壓力症候群	池下育子著	200 元
4. 漏尿、尿失禁	中田真木著	200 元
5. 高齡生產	大鷹美子著	200 元
6. 子宮癌	上坊敏子著	200 元
7. 避孕	早乙女智子著	200 元
8. 不孕症	中村春根著	200 元
9. 生理痛與生理不順	堀口雅子著	200 元
10. 更年期	野末悅子著	200 元

・傳統民俗療法・品冠編號 63

1. 神奇刀療法	潘文雄著	200 元
2. 神奇拍打療法	安在峰著	200 元
3. 神奇拔罐療法	安在峰著	200 元
4. 神奇艾灸療法	安在峰著	200 元
5. 神奇貼敷療法	安在峰著	200 元
6. 神奇薰洗療法	安在峰著	200 元
7. 神奇耳穴療法	安在峰著	200 元
8. 神奇指針療法	安在峰著	200 元
9. 神奇藥酒療法	安在峰著	200 元
10. 神奇藥茶療法	安在峰著	200 元
11. 神奇推拿療法	張貴荷著	200 元
12. 神奇止痛療法	漆 浩 著	200 元
13. 神奇天然藥食物療法	李琳編著	200 元

14. 神奇新穴療法	吳德華編著	200 元
15. 神奇小針刀療法	韋丹主編	200 元
16. 神奇刮痧療法	童佼寅主編	200 元
17. 神奇氣功療法	陳坤編著	200 元

・常見病藥膳調養叢書・品冠編號 631

1. 脂肪肝四季飲食	蕭守貴著	200 元
2. 高血壓四季飲食	秦玖剛著	200 元
3. 慢性腎炎四季飲食	魏從強著	200 元
4. 高脂血症四季飲食	薛輝著	200 元
5. 慢性胃炎四季飲食	馬秉祥著	200 元
6. 糖尿病四季飲食	王耀獻著	200 元
7. 癌症四季飲食	李忠著	200 元
8. 痛風四季飲食	魯焰主編	200 元
9. 肝炎四季飲食	王虹等著	200 元
10. 肥胖症四季飲食	李偉等著	200 元
11. 膽囊炎、膽石症四季飲食	謝春娥著	200 元

・彩色圖解保健・品冠編號 64

1. 瘦身	主婦之友社	300 元
2. 腰痛	主婦之友社	300 元
3. 肩膀痠痛	主婦之友社	300 元
4. 腰、膝、腳的疼痛	主婦之友社	300 元
5. 壓力、精神疲勞	主婦之友社	300 元
6. 眼睛疲勞、視力減退	主婦之友社	300 元

・休閒保健叢書・品冠編號 641

1. 瘦身保健按摩術	聞慶漢主編	200 元
2. 顏面美容保健按摩術	聞慶漢主編	200 元
3. 足部保健按摩術	聞慶漢主編	200 元
4. 養生保健按摩術	聞慶漢主編	280 元
5. 頭部穴道保健術	柯富陽主編	180 元
6. 健身醫療運動處方	鄭寶田主編	230 元
7. 實用美容美體點穴術＋VCD	李芬莉主編	350 元
8. 中外保健按摩技法全集＋VCD	任全主編	550 元
9. 中醫三補養生	劉健主編	300 元
10. 運動創傷康復診療	任玉衡主編	550 元
11. 養生抗衰老指南	馬永興主編	350 元
12. 創傷骨折救護與康復	鍾杏梅主編	220 元
13. 百病全息按摩療法＋VCD	王富春主編	500 元
14. 拔罐排毒一身輕＋VCD	許麗編著	330 元

15. 圖解針灸美容　王富春主編　350 元
16. 圖解針灸減肥　王富春主編　350 元

・健康新視野・品冠編號 651

1. 怎樣讓孩子遠離意外傷害　高溥超等主編　230 元
2. 使孩子聰明的鹼性食品　高溥超等主編　230 元
3. 食物中的降糖藥　高溥超等主編　230 元
4. 開車族健康要訣　高溥超等主編　230 元
5. 國外流行瘦身法　高溥超等主編　230 元

・少 年 偵 探・品冠編號 66

1. 怪盜二十面相　（精）　江戶川亂步著　特價 189 元
2. 少年偵探團　（精）　江戶川亂步著　特價 189 元
3. 妖怪博士　（精）　江戶川亂步著　特價 189 元
4. 大金塊　（精）　江戶川亂步著　特價 230 元
5. 青銅魔人　（精）　江戶川亂步著　特價 230 元
6. 地底魔術王　（精）　江戶川亂步著　特價 230 元
7. 透明怪人　（精）　江戶川亂步著　特價 230 元
8. 怪人四十面相　（精）　江戶川亂步著　特價 230 元
9. 宇宙怪人　（精）　江戶川亂步著　特價 230 元
10. 恐怖的鐵塔王國　（精）　江戶川亂步著　特價 230 元
11. 灰色巨人　（精）　江戶川亂步著　特價 230 元
12. 海底魔術師　（精）　江戶川亂步著　特價 230 元
13. 黃金豹　（精）　江戶川亂步著　特價 230 元
14. 魔法博士　（精）　江戶川亂步著　特價 230 元
15. 馬戲怪人　（精）　江戶川亂步著　特價 230 元
16. 魔人銅鑼　（精）　江戶川亂步著　特價 230 元
17. 魔法人偶　（精）　江戶川亂步著　特價 230 元
18. 奇面城的秘密　（精）　江戶川亂步著　特價 230 元
19. 夜光人　（精）　江戶川亂步著　特價 230 元
20. 塔上的魔術師　（精）　江戶川亂步著　特價 230 元
21. 鐵人Q　（精）　江戶川亂步著　特價 230 元
22. 假面恐怖王　（精）　江戶川亂步著　特價 230 元
23. 電人M　（精）　江戶川亂步著　特價 230 元
24. 二十面相的詛咒　（精）　江戶川亂步著　特價 230 元
25. 飛天二十面相　（精）　江戶川亂步著　特價 230 元
26. 黃金怪獸　（精）　江戶川亂步著　特價 230 元

・武 術 特 輯・大展編號 10

1. 陳式太極拳入門　馮志強編著　180 元
2. 武式太極拳　郝少如編著　200 元

3. 中國跆拳道實戰 100 例	岳維傳著	220 元
4. 教門長拳	蕭京凌編著	150 元
5. 跆拳道	蕭京凌編譯	180 元
6. 正傳合氣道	程曉鈴譯	200 元
7. 實用雙節棍	吳志勇編著	200 元
8. 格鬥空手道	鄭旭旭編著	200 元
9. 實用跆拳道	陳國榮編著	200 元
10. 武術初學指南	李文英、解守德編著	250 元
11. 泰國拳	陳國榮著	180 元
12. 中國式摔跤	黃　斌編著	180 元
13. 太極劍入門	李德印編著	180 元
14. 太極拳運動	運動司編	250 元
15. 太極拳譜	清・王宗岳等著	280 元
16. 散手初學	冷　峰編著	200 元
17. 南拳	朱瑞琪編著	180 元
18. 吳式太極劍	王培生著	200 元
19. 太極拳健身與技擊	王培生著	250 元
20. 秘傳武當八卦掌	狄兆龍著	250 元
21. 太極拳論譚	沈　壽著	250 元
22. 陳式太極拳技擊法	馬　虹著	250 元
23. 二十四式 三十二式 太極 拳 劍	闞桂香著	180 元
24. 楊式秘傳 129 式太極長拳	張楚全著	280 元
25. 楊式太極拳架詳解	林炳堯著	280 元
26. 華佗五禽劍	劉時榮著	180 元
27. 太極拳基礎講座：基本功與簡化 24 式	李德印著	250 元
28. 武式太極拳精華	薛乃印著	200 元
29. 陳式太極拳拳理闡微	馬　虹著	350 元
30. 陳式太極拳體用全書	馬　虹著	400 元
31. 張三豐太極拳	陳占奎著	200 元
32. 中國太極推手	張　山主編	300 元
33. 48 式太極拳入門	門惠豐編著	220 元
34. 太極拳奇人奇功	嚴翰秀編著	250 元
35. 心意門秘籍	李新民編著	220 元
36. 三才門乾坤戊己功	王培生編著	220 元
37. 武式太極劍精華＋VCD	薛乃印編著	350 元
38. 楊式太極拳(85 式)	傅鐘文演述	200 元
39. 陳式太極拳、劍 36 式	闞桂香編著	250 元
40. 正宗武式太極拳	薛乃印著	220 元
41. 杜元化＜太極拳正宗＞考析	王海洲等著	300 元
42. ＜珍貴版＞陳式太極拳	沈家楨著	280 元
43. 24 式太極拳＋VCD	中國國家體育總局著	350 元
44. 太極推手絕技	安在峰編著	250 元
45. 孫祿堂武學錄	孫祿堂著	300 元
46. ＜珍貴本＞陳式太極拳精選	馮志強著	280 元

國家圖書館出版品預行編目資料

超速讀超記憶法／廖松濤 編著
－2版－臺北市，大展，1997【民86】
面；21公分－（校園系列；9）
ISBN 978-957-557-704-9（平裝）
1. 閱讀法
019.1 86004098

超速讀超記憶法

ISBN 978-957-557-704-9

編 著 者／廖 松 濤
發 行 人／蔡 森 明
出 版 者／大展出版社有限公司
社　　址／台北市北投區（石牌）致遠一路2段12巷1號
電　　話／(02) 28236031・28236033・28233123
傳　　真／(02) 28272069
郵政劃撥／01669551
網　　址／www.dah-jaan.com.tw
E-mail／service@dah-jaan.com.tw
登 記 證／局版臺業字第2171號
承 印 者／國順文具印刷行
裝　　訂／建鑫裝訂有限公司
排 版 者／千兵企業有限公司
初版1刷／1993年（民82年） 5 月
2版1刷／1997年（民86年） 6 月
2版6刷／2010年（民99年） 8 月
定 價／180元

大展好書　好書大展
品嘗好書　冠群可期

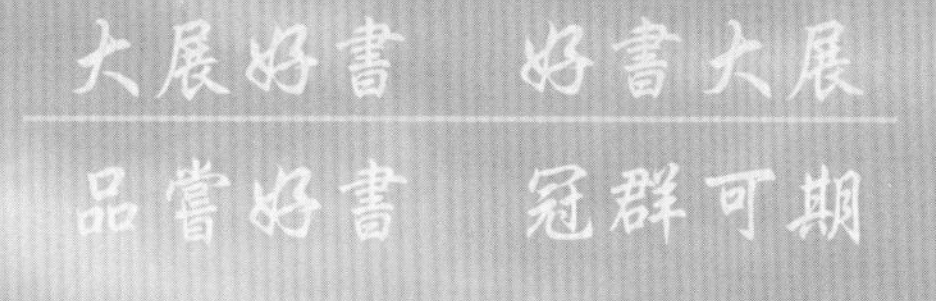
大展好書　好書大展
品嘗好書　冠群可期